·Manual de estimulación temprana·

María Teresa Arango de Narváez • Eloísa Infante de Ospina • María Elena López de Bernal

·Manual de estimulación temprana·

•Ser Madre Hoy•

(1 a 12 meses)

Ediciones Gamma

Dirección Editorial Clara Isabel Cardona M.

Ilustración Stella Cardozo

Corrección de textos Mateo Cardona
Colaboración Especial Enrique Franco
Levantamiento de Textos Grupo Editorial 87

Ediciones Gamma S.A.
Calle 85 No. 18 - 32 P.5
Bogotá. D.C., Colombia
Primera edición, noviembre de 1992
Segunda edición, marzo de 1994
Tercera edición, febrero de 1995
Cuarta edición, enero de 1996
Quinta edición, agosto de 1996
Sexta edición, abril de 1997
Séptima edición, octubre de 1997
Octava edición, agosto de 1998
Décima edición, noviembre de 1999
Décima primera edición, junio de 2000
Décima segunda edición, marzo de 2001
Décima tercera edición, diciembre de 2001
Décima cuarta edición, octubre de 2002
Décima quinta edición, octubre de 2003
Décima sexta edición, septiembre de 2004
Décima séptima edición, noviembre de 2005
Décima octava edición, marzo de 2007
Décima novena edición, diciembre de 2007
Vigésima edición, junio de 2008
Vigésima primera edición, marzo de 2009
Vigésima segunda edición, septiembre de 2009
Vigésima tercera edición, junio de 2010
Vigésima cuarta edición, marzo de 2011
Vigésima quinta edición, febrero de 2012
Vigésima sexta edición, marzo de 2013
Vigésima séptima edición, abril de 2014
Vigésima octava edición, mayo de 2015
Trigésima primera edición, marzo de 2018

ISBN 958-9308-24-4

Impreso por Editorial Nomos S.A.
Impreso en Colombia Printed in Colombia

A la intención, voluntad y esfuerzo que implica la actitud de creer y desarrollar las potencialidades de los niños y trabajar cotidianamente con ellos.

A nuestros padres, esposos e hijos quienes compartieron e impulsaron esta maravillosa experiencia.

Las Autoras

Contenido

Advertencia	9
Introducción	11
Indicaciones generales	13
Primer mes	17
Segundo mes	29
Tercer mes	39
Cuarto mes	51
Quinto mes	63
Sexto mes	73
Séptimo mes	85
Octavo mes	96
Noveno mes	107
Décimo mes	121
Undécimo mes	133
Duodécimo mes	144
Felicitaciones	157
Glosario	158
Bibliografía	159

Advertencia

La información contenida en este manual constituye únicamente una guía aproximada del desarrollo integral del bebé. Por lo tanto, en ningún momento es un parámetro para juzgar o evaluar en forma definitiva, positiva o negativamente al niño.

El bebé es un ser integral, cuyo desarrollo afectivo, cognoscitivo y comportamental conforman un todo. La división en áreas en el presente manual obedece solamente a criterios metodológicos, que faciliten a los padres la comprensión y estimulación de ese maravilloso mundo del bebé.

Introducción

La estimulación es un proceso natural, que la madre pone en práctica en su relación diaria con el bebé a través de este proceso, el niño irá ejerciendo mayor control sobre el mundo que le rodea, al tiempo que sentirá gran satisfacción al descubrir que puede hacer las cosas por sí mismo.

La estimulación tiene lugar a través de la repetición útil de diferentes eventos sensoriales que aumentan, por una parte, el control emocional proporcionando al niño una sensación de seguridad y goce; y por la otra, amplían la habilidad mental, que le facilita el aprendizaje, ya que desarrolla destrezas para estimularse a sí mismo a través del juego libre y del ejercicio de la curiosidad, la exploración y la imaginación.

Con el fin de orientar y ayudar a la madre en esta hermosa y gratificante labor hemos diseñado el presente manual que constituye una guía práctica y sencilla, fundamentada en una concepción integral del desarrollo evolutivo del bebé.

Convencidos de que la percepción del mundo, el crecimiento de la inteligencia, la sensación de ser amado y tenido en cuenta, el desarrollo de la autoestima, comienzan desde el primer día de la vida del bebé, te damos a conocer los aspectos más relevantes de su primer año de vida, así como un programa completo de ejercicios y juegos que te permita aprovechar al máximo sus potencialidades en todas las áreas de desarrollo: los procesos cognoscitivos, sensoriales y motores, el lenguaje y las relaciones interpersonales.

Desde esta perspectiva, la estimulación se concibe como un acercamiento directo, simple y satisfactorio, para gozar, comprender y conocer a tu bebé, ampliando las alegrías de la paternidad y ensanchando su potencial de aprendizaje.

Por esto su principal objetivo consiste en convertir la estimulación en una rutina agradable que vaya estrechando cada vez más la relación madre-hijo, aumentando la calidad de las experiencias vividas y la adquisición de importantes herramientas de desarrollo infantil.

En su carácter de guía es flexible y adaptable a tus necesidades específicas. Está fundamentada en el presupuesto de que cada niño constituye un mundo independiente y diferenciado y que, como tal, tiene su propio ritmo de crecimiento y su propia disponibilidad para recibir y asimilar la estimulación. Todo lo que deberás hacer para lograr un buen desarrollo es proporcionar al niño información visual, táctil, auditiva y motriz, dentro del marco de una relación amorosa, a la *velocidad, intensidad y ritmo propio de las necesidades del niño.*

No será necesario, entonces, que suspendas su ejercicio preferido sólo porque ya no aparece en el próximo mes o que, al contrario, te veas obligada a comenzar otro sin que el bebé haya superado el primero. Esto indicará solamente que hay un aspecto que debe reforzarse.

Es de gran importancia que tengas en cuenta que el paso de una etapa a otra depende de la combinación armoniosa de múltiples aspectos. Por lo tanto, no se puede decir que el bebé pasará completa e irreversiblemente de una a otra; además, cada bebé tendrá una manera muy propia y particular de llevar a cabo este proceso. Comprender este principio te permitirá exigir y esperar resultados reales, acordes con las capacidades, habilidades y potencialidades de tu hijo.

A medida que vayas familiarizándote con el programa encontrarás que la estimulación va convirtiéndose en una actitud natural que se ve reforzada continuamente con los logros y progresos de tu hijo y con la certeza de que estás contribuyendo en gran parte a que tenga un mejor desarrollo físico, mental y social; a que se desempeñe con más éxito en su futuro aprendizaje escolar y a tener, por lo tanto, una mayor probabilidad de ser feliz e integrarse plena y totalmente al mundo que lo rodea.

Esperamos que esta guía sea una contribución al logro de los grandes objetivos que te has fijado como mamá.

Indicaciones generales

El presente manual obedece a la necesidad de los padres de obtener mayor conocimiento acerca del desarrollo evolutivo del bebé y de las diferentes posibilidades de estimulación temprana que permitan incrementar las habilidades y potencialidades del niño, teniendo como marco de referencia la relación amorosa que estreche día a día el vinculo entre los padres y el niño, haciendo más placentero y gratificante su labor educativa.

Los conocimientos aquí transmitidos han sido el resultado de una exhaustiva investigación que combina una completa revisión teórica con conclusiones dadas por la práctica psicológica durante muchos años, con niños entre cero y doce meses.

El manual se encuentra estructurado de la siguiente manera: se expone primero una *Introducción* con generalidades del mes y luego las *Características de Desarrollo* correspondientes a áreas como el lenguaje, la inteligencia, la motricidad, la socialización, etc., mes por mes.

Esta descripción del desarrollo integral del bebé tiene por objetivo mostrarte todos los cambios que tienen lugar en este maravilloso proceso evolutivo, durante el primer año de vida; de esta manera podrás participar más activamente en el y proporcionar los elementos necesarios para satisfacer las necesidades fisiológicas, sociales y psicológicas del niño.

Igualmente te servirá como una escala aproximada para observar y evaluar los progresos del bebé.

Inmediatamente después encontrarás un aparte denominada *Intervención General,* que tiene por objeto dar algunas pautas que apoyen el desarrollo concreto del programa de estimulación.

Viene después la *Estimulación Directa,* que contiene una serie de ejercicios y juegos sencillos y eficaces que promueven el aprendizaje rápido, un acercamiento amoroso, la coordinación del movimiento muscular y el aumento del tiempo de concentración del bebé.

Al finalizar cada mes habrá un cuadro resumen, donde estarán las características más importantes, correspondientes a esa etapa. Recuerda que su aparición varía de acuerdo al ritmo propio de cada niño; por lo tanto no debes preocuparte si en algún momento tu bebé no se ajusta a las características descritas aquí. Encontrarás también algunas sugerencias de juguetes correspondientes a cada mes. Estos te servirán para llevar a cabo algunos ejercicios de estimulación.

Igualmente te anexamos un cuadro de programación de las sesiones de estimulación día a día, durante una semana (lunes a sábado). Es importante que tengas en cuenta que para las tres semanas restantes del mes, los ejercicios podrán variarse de acuerdo a las necesidades propias de tu bebé, teniendo en cuenta que generalmente debes empezar por los más sencillos y llegar a los más complejos.

La intensidad de cada ejercicio dependerá de varios aspectos: del ritmo propio del bebé, de que él haya comprendido la acción, y de lo atractivos e interesantes que le resulten los ejercicios.

En el tema denominado *Estimulación Directa* vas a encontrar algunos ejercicios iguales o parecidos a los de meses anteriores. Esto se debe a que algunas áreas requieren refuerzo adicional hasta alcanzar su máximo desarrollo. Por otra parte, ten en cuenta que cada mes tiene un área crítica - por ejemplo, en el séptimo mes el desarrollo motor cobra especial importancia en relación con las otras áreas - : por lo tanto, la estimulación se orientará principalmente en esta dirección.

Los ejercicios están numerados de acuerdo al orden en que se encuentran en la parte correspondiente a *Estimulación directa;* a ella deberás remitirte al consultar el cuadro.

A medida que el bebé vaya creciendo, encontrarás mayor información relativa tanto a las *Características de desarrollo* como a la estimulación en sí; también verás que los ejercicios son gradualmente más complejos.

Al finalizar cada mes se anexan los siguientes cuadros: 1. *Cuadro de planeación semanal,* en donde se sugiere cómo distribuir los ejercicios durante la semana. 2. *Cuadros-resumen,* que contienen, de manera muy sintética, las características más representativas de ese mes de desarrollo. 3. Un *cuadro registro* en el cual la madre, o quien esté en permanente contacto con el bebé, podrá consignar los diferentes avances que en cada una de las áreas de desarrollo éste va manifestando.

Por último, queremos darte cierta información que consideramos pertinente, ya que cubre algunos aspectos que te permitirán la utilización óptima de este manual:

• Si por razones de trabajo, no puedes permanecer mucho tiempo al lado del bebé y, por lo tanto, tienes que dejarlo bajo los cuidados de alguna otra persona, te recomendamos compartas con ella este programa de *Estimulación Temprana.* Así, tanto tú como ella estarán llevando a cabo el mismo plan de ejercicios con el bebé. Para esto puedes utilizar el cuadro denominado *Registro,* en el que podrán consignar conjuntamente toda la información referente a los avances en el desarrollo del niño.

• Te sugerimos que distribuyas las actividades señaladas para el mes en diferentes momentos de la rutina diaria como, por ejemplo, en la mañana después del desayuno (cuarenta y cinco minutos después), al atardecer y al anochecer.

• El tiempo de cada ejercicio específico varía entre medio minuto y dos minutos y medio, dependiendo del grado de maduración propio del desarrollo de cada niño.

• Aunque lo más recomendable es realizar los ejercicios con intervalos de tiempo considerables, en algún momento podrás hacerlos seguidos; si este es el caso, ten en cuenta dar al bebé un descanso entre un ejercicio y otro. Esto le permitirá interesarse y estar mejor dispuesto para uno nuevo.

• Recuerda que lo más importante es establecer una relación amorosa y positiva con el bebé, ya que esta es la base para cualquier interacción que realices como madre.

• Algunos ejercicios correspondientes a áreas como la táctil, gustativa, socio- afectiva, deben repetirse en los meses posteriores ya que la estimulación continua de estas habilidades les permitirá alcanzar su pleno desarrollo.

• Igualmente, es importante reconocer la capacidad y oportunidad de atención del bebé para lograr su recepción (recuerda que ésta varía durante el transcurso del día). Aprende a identificar cuando el bebé no se encuentra en condiciones para aprovechar la estimulación de manera adecuada.

• Utiliza la estimulación para motivar y tranquilizar proporcionando entusiasmo en todas las sesiones, haciendo que se conviertan en un momento agradable. Sé generosa con las palabras de afecto y las alabanzas.

• Convierte la música en tu mejor aliado. Es un gran motivante y desarrolla la creatividad.

• Procura mantener siempre el interés y atención de tu hijo en cada uno de los ejercicios. Para esto házlos llamativos a través de diversas actividades como intercalar los ejercicios, cambiar los estímulos (por ejemplo, variar los juguetes) y acompañarlos con música, palabras afectuosas, etc.

• La estimulación deberá convertirse en una rutina diaria. Aunque en los primeros días las respuestas del bebé no aparezcan de manera inmediata y explícita, veras que con el paso del tiempo el bebé irá expresando y participando de una forma más activa en esta interacción.

• Las siguientes serán señales de que el bebé no desea o no está dispuesto para una sesión: está somnoliento o dormido; los ejercicios se le han convertido en un hábito y ya no le interesan; existen otros estímulos que en ese momento le distraen; se encuentra enfermo; está rodeado de personas extrañas y fuera de su ambiente familiar; y/o se encuentra llorando.

Si consigues establecer una rutina diaria con los juegos y ejercicios que te ofrece el manual y a la vez logras que el padre y, a través de los meses, otros miembros de la familia formen parte activa del proceso de estimulación en el niño, habrás alcanzado grandes logros.

Primer Mes

Introducción

En este primer mes la mayoría de las respuestas son automáticas a los estímulos externos que están fuera de su control. Estos movimientos los llamamos movimientos reflejos. Sin embargo es posible encontrar en los bebés de esta edad, respuestas más elaboradas que las simplemente instintivas. Al final del primer mes, el bebé comienza a mostrar signos de desarrollo de su control muscular al levantar la cabeza por primera vez.

Estos reflejos desaparecen durante los primeros meses a medida que va madurando el sistema nervioso central y entran en uso los niveles superiores del cerebro.

Inicialmente, el cerebro del bebé sólo tiene en el momento del nacimiento un 25 por ciento del peso del cerebro de un adulto. Parece ser que su lado derecho es más sensible que el izquierdo: por tal motivo se sugiere comenzar la estimulación en este lado, pero repitiéndola siempre en el lado izquierdo para desarrollar la bilateralidad.

Dentro del comportamiento general de las primeras semanas, los rasgos más comunes son la somnolencia y la irritabilidad, la baja de movilidad, la hipersensibilidad y la sonrisa como reflejo. De esta manera el comportamiento más obvio del bebé en este momento es su total dependencia y la tendencia a dormir. Permanece despierto un promedio de ocho minutos por hora durante el día. Al mes siguiente los periodos de vigilia se van alargando.

En estos días el bebé posee una gran preocupación por su "comodidad"; se siente incómodo con mucha facilidad y frecuencia. Uno de los momentos en los cuales esta actitud se hace más evidente es antes de comer: posiblemente llorará bastante durante y después de las comidas, al no cambiársele los pañales, por un ruido fuerte... Al fin y al cabo, el llorar es su forma más evidente de manifestarse.

Características de desarrollo

Desarrollo motor

El bebé mantiene los brazos doblados y las manos apretadas o totalmente abiertas. No tiene mucha tonicidad muscular: por esto aún no controla los movimientos de su cabeza, pero está en capacidad de volver cuando le tocan la mejilla y de sostenerla brevemente, en línea con la espalda, cuando se le pone en la posición de sentado. Igualmente ajusta su postura a la persona que lo acuna.

Hace gestos involuntarios y es muy sensible a los cambios de posición del cuerpo. El reflejo de Babinski está presente: lo comprobamos cuando extiende los dedos y los brazos hacia los lados y luego los recoge en dirección hacia su pecho. Lo mismo ocurre con el reflejo de prensión: verás que si le colocas un dedo entre su mano lo aprisiona inmediatamente. El reflejo de chupeteo lo compruebas cuando colocas el dedo índice en su boca. De la misma manera, ante la presencia repentina de una luz brillante frente a sus ojos, cierra los párpados.

Desarrollo cognoscitivo

Las manifestaciones de conductas inteligentes son limitadas. Sin embargo, esto no quiere decir que no haya inteligencia, pues la colección inicial de conductas reflejas del recién nacido no es ajena a ésta. La inteligencia comienza a desarrollarse a partir de esos sencillos actos aislados tales como tomar un objeto o mirarlo, y al ejercitar los mecanismos reflejos congénitos. De cada diez horas se mantiene alerta una hora y media al día. Su memoria inmediata alcanza hasta dos y medio segundos.

Desarrollo del lenguaje

El bebé convierte su llanto, fuerte y vigoroso, en un medio de expresión y comunicación. Produce sonidos simples, gritos y gorjeos. Utiliza las vocales *a, u* y emite sonidos al succionar el dedo y al alimentarse.

Aunque el bebé no comprende el significado de las palabras, no quiere decir que no debamos hablarle. Su audición le permite discriminar una gran gama de sonidos, aun durante las primeras semanas de vida. A medida que el bebé nos va oyendo, se familiarizando con el lenguaje y comenzará a emitir sonidos por imitación.

Desarrollo visual

El bebé mira los objetos durante cierto tiempo y los sigue con sus ojos (puede verlos a veinte centímetros de distancia); percibe también las luces móviles a través de la coordinación de sus dos ojos. Lo atraen especialmente los contornos de los objetos.

Hacia el final del mes puede seguir los objetos con la cabeza, desde el centro hacia el lado preferido. Más tarde lo hará de un lado al otro con sus ojos cuando el objeto se mueve lentamente. Percibe tridimensionalidad y profundidad de los objetos, ve mejor con luz tenue.

Fija la mirada en la cara de la madre en respuesta su sonrisa, si ésta está cerca. En realidad, lo que más le gusta ver son círculos, tus ojos y el rostro humano.

Desarrollo olfativo

El bebé tiene una gran sensibilidad a los olores, tanto agradables (leche materna, perfumes) como desagradables (cigarrillo, amoníaco). Al percibir éstos últimos voltea su cabeza. Por ello debes impregnarle de olores dulces. Así te asociará con experiencias sensoriales placenteras.

Desarrollo auditivo

El bebé es capaz de discriminar la frecuencia, el tono y el ritmo de los sonidos, pero no trata de localizarlos.

Responde a la voz humana. Cuando se encuentra alerta, la escucha y mira la cara de quien habla.

Ejemplo: Voces de papá y mamá.

Desarrollo táctil

El bebé está en capacidad para percibir la diferencia entre calor, frío; blando, duro; liso, corrugado; áspero, suave; pegajoso, liso. Posee sensibilidad térmica que le permite percibir cambios de temperatura que oscilan entre los cinco y seis grados; igualmente reacciona al viento y a los cambios de presión.

Desarrollo socio-afectivo

Un recién nacido no es sociable en el sentido corriente de la palabra. Sin embargo, aparecen signos sencillos y universales de sociabilidad: desde la primera semana de vida, el bebé ya mira a los ojos de la persona que lo alza.

El bebé duerme la mayor parte del tiempo y permanece quieto cuando está satisfecho. Manifiesta inquietud mediante el llanto. Responde positivamente a la comodidad y la satisfacción y negativamente a la incomodidad y el dolor. Aunque parezca un ser pasivo, su personalidad comienza a surgir; un bebé puede ser ruidoso e impaciente mientras que otro es calmado y plácido.

Desarrolla su sentido de confianza. Es importante que solo pocas personas lo cuiden de manera consistente, para que aprenda a reconocerlas.

A manera de resumen: en la primera semana el bebé manifiesta sus necesidades por medio del llanto; sonríe espontáneamente ante estímulos sensoriales como son los sonidos suaves. En la segunda semana llorará si se le interrumpe la alimentación y al despertarlo bruscamente. Ante ruidos inesperados llora no por temor sino en señal de "alerta". En la tercera semana presentará una gran variedad de conductas cuando necesite algo o esté inquieto. En la cuarta semana ya manifestará rechazo ante el cambio, sonreirá ante estímulos externos y expresará su inquietud mediante el llanto.

Intervención general

El principal objetivo en este mes es estimular todos los sentidos del bebé, ya que cada uno de

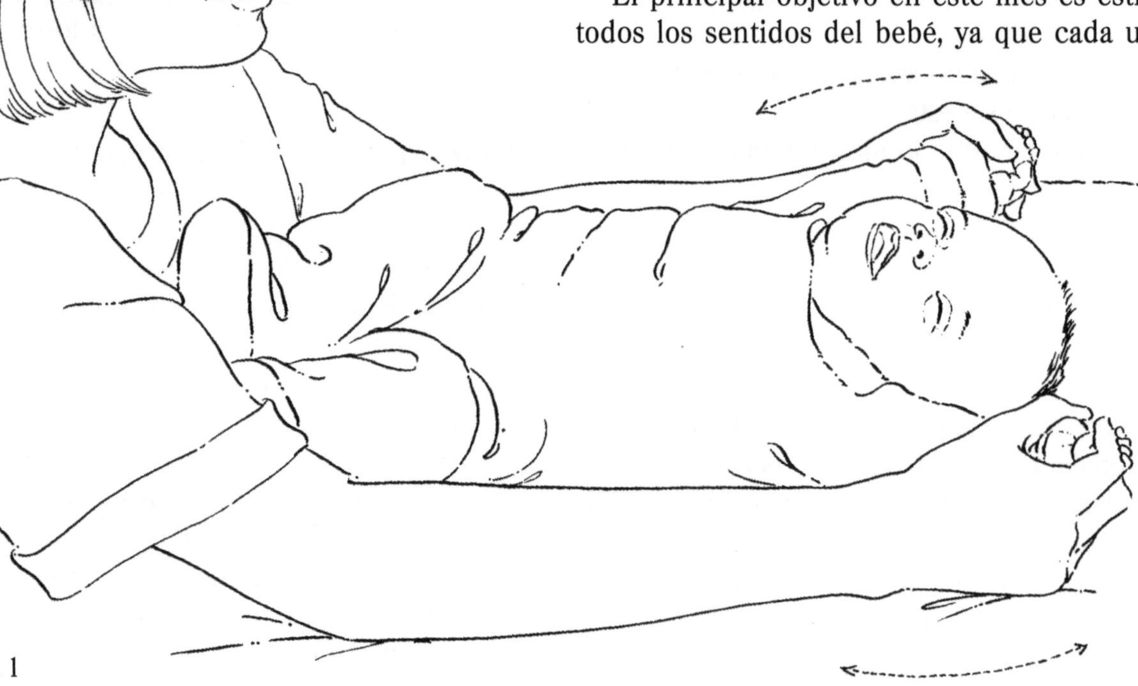

Figura No. 1

ellos se desarrolla sólo en conexión con los otros. Para esto es necesario aprender a reconocer la expresión de cada uno de ellos y el momento apropiado para llevar a cabo la estimulación. Los ejercicios deberán hacerse suave y lentamente.

Debes ayudar a tu bebé a entablar sus primeros contactos con el mundo exterior, a que aprenda a reaccionar a algunos estímulos y se familiarice con ellos. Otra tarea que tienes en este mes consiste en activarle, especialmente despertando su interés incitándole a moverse. Recuerda que sólo un bebé activo puede establecer contactos positivos con todo lo que le rodea.

Ten presente que el recién nacido podrá ser desvalido en muchos aspectos: no puede sostener su cabeza, no entiende el lenguaje y será poco su experiencia de vida, pero es increíblemente competente. Está dotado de muchas maneras para aprender acerca del mundo.

Es importante que tengas en cuenta que el bebé necesita mucho espacio. La cuna sólo sirve para dormir y el coche o la silla deben reducirse a su función de medios de transporte. Cuanto mayor sea el espacio que concedas al bebé mientras está despierto, más se moverá y mayor probabilidad tendrá de desplegar sus potencialidades.

Cuando lo coloques en la cuna ponle las cobijas de manera que queden como un nido, doblándolas alrededor. De esta forma estará más cómodo. Cambia las posiciones en que el bebé duerme: así cuando se despierte, tendrá cosas nuevas y diferentes que mirar. Cuando lo bañes pídele el favor a otra persona que le tome las manos, esto le dará seguridad y dejará de llorar.

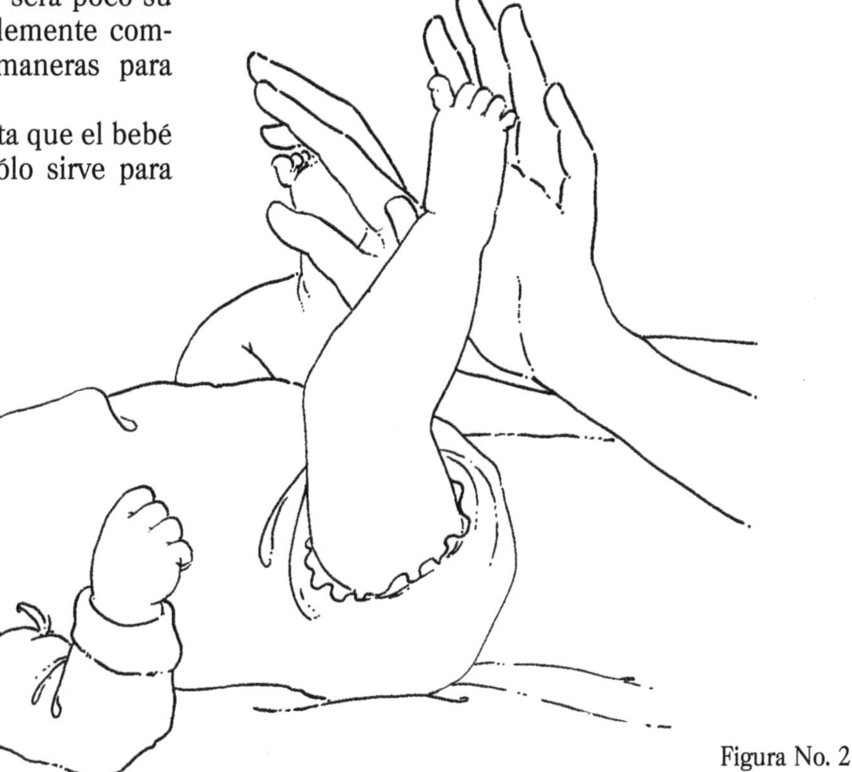

Figura No. 2

Estimulación directa

En este mes debes iniciar los ejercicios de estimulación con una frecuencia por ejercicio de una a tres veces diarias. Habrá algunos ejercicios tales como cantar, hablar, sonreír, acariciar, que no requieren una frecuencia exacta, sino que dependen de la disponibilidad, tanto del bebé como tuya. La periodicidad semanal la encontrarás al final de cada mes, en el cuadro denominado Programación Semanal de Estimulación.

Estimulación motriz

1. OBJETIVO: Fortalecer los músculos del cuerpo.
a) Acuna al bebé desnudo, voltéalo para un lado, luego para el otro. También puedes girarlo en círculo. Ensaya otras posiciones como ponerlo de espalda, boca arriba, de frente, semisentado.

2. OBJETIVO: Fortalecer los músculos de los brazos y las piernas.
a) Acostado el bebé, flexiona primero y luego estira suavemente los brazos de un lado a otro y sobre su cabeza. (Figura 1).
b) En la misma posición, acércate hasta hacer contacto con sus pies para estimular el pataleo. (Figura 2).
c) Mueve sus piernas haciendo bicicleta. (Figura 3).

3. OBJETIVO: Fortalecer los músculos de la espalda y del tórax.
a) Coloca al bebé acostado sobre su lado derecho, desliza tus manos bajo su cuerpo y sosteniéndolo del cuello y las piernas, levántalo varios centímetros. Repite el ejercicio sobre el lado izquierdo. (Figura 4).
b) Acostado el bebé boca arriba, toma sus manos hacia el centro de su cuerpo contra su pecho y suavemente gíralo de lado a lado. Levántalo hasta la posición sentada y vuélvelo a bajar.

Estimulación cognoscitiva

1. OBJETIVO: Estimular el reflejo plantar*.
a) Pasa tu dedo por la planta del pie del bebé para que lo estire y cerca de los dedos para que los encoja.

2. OBJETIVO: Estimular el reflejo de prensión*.
a) Abre las manos del bebé y coloca el dedo sobre la palma para que el bebé lo agarre. Intenta retirarlo varias veces.

3. OBJETIVO: Estimular el reflejo de chupeteo*.
a) Coloca en la comisura de los labios del bebé tus dedos limpios para que intente tomarlos con la boca.

4. OBJETIVO: Estimular el reflejo de Moro*.
a) Coloca al bebé de espaldas y, cuando esté tranquilo, golpea simultáneamente los lados de la almohada o del colchón.

Estimulación del lenguaje

1. OBJETIVO: Familiarizar al bebé con el lenguaje humano.
a) Mientras bañas al bebé, lo cambias o lo alimentas háblale y juega con él.

Figura No. 3

2. OBJETIVO: Reforzar la emisión de sonidos.
a) Imita los sonidos que el bebé emite para reforzar los ruidos guturales.

3. OBJETIVO: Incrementar la expresión de sus emociones.
a) Permítele, si ya has descartado toda necesidad, que llore. No le perturbes si se queda en silencio un rato mientras está despierto. Refuerza cualquier signo de alegría.

4. OBJETIVO: Reforzar la imitación a partir de gesticulaciones.
a) Hazle gestos a tu bebé con la boca, los ojos, la nariz, etc., para que él observe la flexibilidad del rostro humano cuando se habla a se emiten sonidos.

Estimulación visual

1. OBJETIVO: Estimular el seguimiento y fijación de un objeto
a) Coloca juguetes colgantes, móviles y objetos con colores brillantes a los lados de su cuna.
b) Mueve muy lentamente un objeto brillante (una luz de una linterna, un globo plateado, etc.) de lado a lado para que el bebé lo siga con los ojos. Muévelo en pequeños círculos, luego regresa el estímulo al centro tratando de que el bebé fije su atención en él.
c) Acércate al bebé sonriendo y mantén un objeto allí (donde el bebé haya fijado sus ojos. Luego muévelo poco a poco de izquierda a derecha, arriba y abajo.
d) Coloca al bebé boca abajo. Sostén un estímulo visual, (un círculo, la cara de un muñeco, tu mano, etc.), en el lugar donde el bebé lo pueda ver (esto se denomina su línea de visión); súbelo siete centímetros y luego bájalo. Repite el ejercicio con un espejo. Deja que el bebé toque el objeto.

2. OBJETIVO: Ampliar el entorno visual del bebé.
a) Carga a tu bebé de tal forma que pueda ver su

alrededor por encima de tu hombro; sostenle la cabeza.

Estimulación olfativa

1. OBJETIVO: Desarrollar el sentido del olfato.
a) Pasa por debajo de su nariz una esponja impregnada con diferentes aromas (loción, canela, vainilla, leche materna, etc.); muévelo de izquierda a derecha comenzando por la frente, bajando por la mejilla y al final hacia su pecho, barriga, y hacia los muslos, para que su cuerpo quede impregnado del aroma. Hazlo con un aroma diferente cada día.

Estimulación auditiva

1. OBJETIVO: Desarrollar la capacidad de atención a los sonidos.
a) Sacude el sonajero directamente frente al bebé. Colócaselo luego en la mano y muévesela de derecha a izquierda, elévalo hacia arriba y luego llévalo hacia abajo.

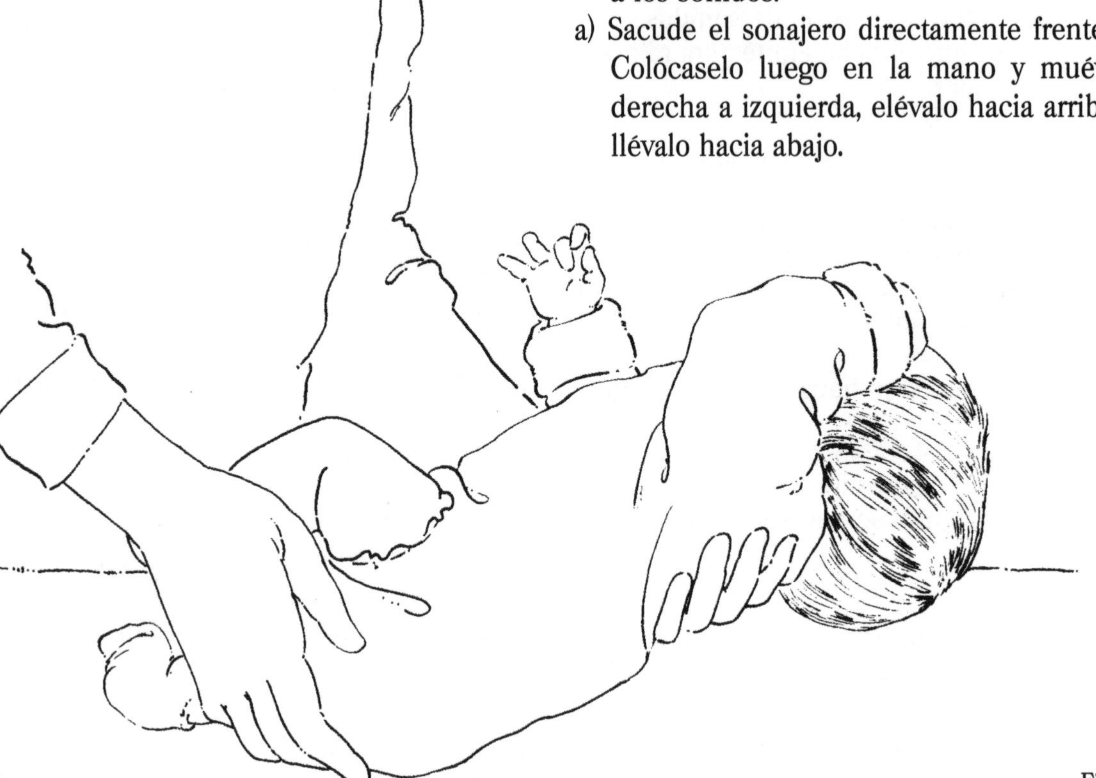

Figura No. 4

b) Amárrale a las muñecas de las manos un cordón con campanas o un objeto sonoro.
c) Déjale escuchar cajas de música, el radio y la televisión.

2. OBJETIVO: Asociar el sonido con el movimiento.
a) Háblale a un lado y al otro de su cara durante todas las actividades.

Estimulación táctil

1. OBJETIVO: Desarrollar la percepción de los cambios de temperatura.
a) Pasa por la piel del bebé una toalla mojada en agua fría y luego caliente. Hazlo en forma de masaje desde la cabeza hasta los pies.

2. OBJETIVO: Estimular la percepción de texturas.
a) Acarícialo cuando está desnudo con objetos que tengan diferentes texturas (suave, áspera, etc.), hazle cosquillas y frótale los pies. Utiliza objetos como toallas, esponjas de plástico, espumas, etc.

3. OBJETIVO: Estimular la percepción quinestésica, que es el sentido por medio de cual se percibe el movimiento muscular, peso, posición, etc., de los miembros de su cuerpo.
a) Sácalo desnudo al aire libre para que perciba la sensación del viento, del sol, del calor, del frío.

Estimulación socio-afectiva

1. OBJETIVO: Afianzar la relación padres-hijo.
a) Acaricia al bebé y háblale cariñosamente, llamándolo por su nombre en cada una de las actividades. Estimula al papá para que mantenga con el bebé esta actitud.

Programación Semanal de Estimulación
Primer mes

Días / *Áreas de estimulación*	*Lunes*	*Martes*	*Miércoles*	*Jueves*	*Viernes*	*Sábado*
Estimulación motriz	1a; 3a	2b	2a; 2c	1a; 2a; 3b	2b; 3a	2c
Estimulación cognoscitiva	1a	3a	4a	3a	1a	2a
Estimulación visual	1c	1d; 2a	1c	1a		1b
Estimulación auditiva	2c, según la oportunidad	1b	1d	1b; 1c	1a	1c
Estimulación táctil	1a	2a	3a	2a	3a	1a
Estimulación olfativa	1a		1a		1a	
Estimulación del lenguaje	2a y 3a según la oportunidad	1a	4a	1a	4a	
Estimulación socio-afectiva	1a	1b	1c	1a	1b	1c

Resumen del Primer mes

Peso	*Medida*	*Desarrollo físico*	*Desarrollo sensorio motor*	*Desarrollo intelectual*	*Desarrollo social*	*Juguetes*
Niño 4.0 kg Niña 3.5 kg	55 cm 45 cm	Los movimientos de piernas, brazos y manos son todavía primariamente reflejos. Empuja hacia afuera brazos y piernas. Levanta la cabeza brevemente. Puede mantener la cabeza en línea con la espalda.	Se queda observando un objeto pero no lo busca. Coordina el movimiento de los ojos hacia los lados. Los reflejos se van volviendo más eficientes. Cuando los dedos están abiertos agarra un cascabel u otro objeto pero lo deja caer rápidamente. Responde a la voz humana. Busca o se dirige al pecho a pesar de no estar alimentándolo. Responde positivamente a la comodidad y satisfacción y negativamente al dolor.	Mirada y expresión vagas, e indirectas durante las horas en que se encuentra despierto. Recuerda los objetos que reaparecen en dos y medio segundos. Espera alimentación cada ciertos intervalos. Llora deliberadamente para pedir ayuda. Se calla cuando alzan o cuando ve rostros.	La mayoría de las reacciones responden a estímulos internos, pero otras son respuesta a la acción del medio. Sus ojos se fijan en la cara de la madre en respuesta a su sonrisa si no está muy lejos. Establece contacto de ojos a ojos. Se queda observando las caras y responde quedándose callado y quieto. Ajusta su postura al cuerpo de la persona que lo está cargando; puede agarrarse a esa persona. Los patrones diarios, llorar dormir y comer son muy desorganizados.	Móviles de cuerda. Juguetes blandos. Sonajeros. Cajas de música. Varillas para la cuna donde se puedan colgar los juguetes. Caras sonrientes. Láminas tipo ajedrez con 4 a 6 cuadros en blanco y negro. Franjas negras o rayas sobre una cartulina blanca. Círculos negros sobre una base blanca.

Registro de Evaluación Mensual

Semanas / *Áreas de desarrollo y estimulación*	*Primera*	*Segunda*	*Tercera*	*Cuarta*
Desarrollo y estimulación motriz				
Desarrollo y estimulación cognoscitiva				
Desarrollo y estimulación auditiva				
Desarrollo y estimulación del lenguaje				
Desarrollo y estimulación socio-afectiva				
Desarrollo y estimulación quinestésica				

Anotaciones para el próximo mes:

____

____

____

____

____

____

____

Segundo Mes

Introducción

Tu bebé de dos meses ha dejado de ser un recién nacido. Ya es una persona social y comienza a tener confianza en su propio poder para obtener atención y ser amado.

Al llegar a la sexta semana, el bebé permanecerá más tiempo despierto, ya que su interés por las cosas que le rodean le mantiene alerta y activo.

El aprendizaje aún no tiene un ritmo vigoroso porque sus habilidades sólo se habrán desarrollado parcialmente. Sin embargo encontramos signos evidentes de progreso.

En este segundo mes ya vemos en el bebé preferencias definitivas en sus posiciones para dormir. Verás que sus sentidos están mejor coordinados: mirará en dirección de un sonido interesante, comenzará a chupar cuando vea su biberón. Disminuirá el tiempo que pasa llorando.

Características de desarrollo

Desarrollo motor

Las acciones reflejas comienzan a desaparecer y se hacen más voluntarias. El bebé extiende los brazos y abre las manos frecuentemente. Intenta por segundos mantener erguida la cabeza. Igualmente, cuando se le sienta, trata de hacerlo sin mucho éxito, por la falta de tono muscular. Cuando está acostado patalea; manifiesta su agitación con movimientos fuertes de manos y pies.

En este mes el bebé descubre sus manos, y estudia su movimiento. Juega dándose cuenta que las puede unir, entrelazar, separar. Tiende la mano cerrada hacia un objeto y sólo la abre para asirlo después. Aprisiona el dedo pulgar contra su lado inferior. Si se le estimula la planta de la mano con un dedo, lo agarra firmemente.

Desarrollo cognoscitivo

En este mes se establecen los primeros hábitos y los comportamientos se hacen cada vez más complejos. El bebé comienza a excitarse ante un objeto, anticipando sus movimientos que en este mes aún son generalizados. Puede comenzar a mostrar preferencia por el lado derecho o el izquierdo.

El bebé comienza a diferenciar lo interno de lo externo. Discrimina las voces de las personas de otros sonidos, así como sabores, y proximidad y tamaño de objetos. Pero aún no tiene noción del "antes" y el "después".

Desarrollo del lenguaje

El lenguaje también avanza y el bebé comienza a hablar su propio lenguaje: gorjeo. Emite sonidos de ciertas vocales y algunos de una sola sílaba.

Desarrollo visual

En este mes el desarrollo visual del bebé ha avanzado notablemente: ya puede formar una imagen precisa de los objetos y los sigue cuando se mueven rápido de izquierda a derecha, pero si desaparecen no los busca activamente. Fija la mirada y mira a los ojos.

Le llaman la atención los objetos circulares y puede ver a cincuenta centímetros de distancia. Le gusta observar objetos tridimensionales en colores, pero sin reaccionar ante ellos.

Al final del segundo mes, sigue a la madre con sus ojos cuando pasa entre él y una fuente de luz.

Desarrollo auditivo

El bebé en el segundo mes busca el origen de los sonidos y se vuelve en todas las direcciones tratando de localizarlo.

Responde con agitación ante sonidos fuertes. Deja de llorar cuando escucha un sonido.

Reconoce diferentes caras y voces, y por sus reacciones indica que prefiere personas a objetos.

Desarrollo socio-afectivo

En el segundo mes de vida, el bebe afianza sus relaciones con su entorno. Se siente seguro cuando lo alzan, acarician y alimentan. Cuando está ansioso, la aproximación de un adulto lo calma. Sonríe ante los estímulos, especialmente de la madre, como agitarle sus manos para aplaudir. Palpa el rostro humano y manifiesta sentimientos de zozobra, excitación y bienestar.

Puede mantenerse tranquilo él mismo con su sonajero. Observa en forma alerta y directa, y responde con actividad a personas en movimiento. Se estará despierto por largo tiempo si hay personas pendientes de él.

Intervención general

El objetivo de este mes sigue siendo la estimulación de los sentidos, especialmente la coordinación ojo-mano. Aunque el bebé aún no puede tomar el objeto por sí mismo, mantenle juguetes interesantes que él pueda tocar. Recuerda que para entender un objeto en su mente tendrá que palparlo primero.

Es igualmente importante estrechar el vínculo materno. Para esto esfuérzate por mantener un diálogo (aunque a veces parezca un monólogo) continuado con el bebé.

Ayúdalo a comprender la relación que existe entre las acciones y las palabras. Aprovecha momentos como la comida, el baño, etc. A propósito del baño, te recomendamos que cuando lo hagas, coloques una toalla en el fondo de la tina. De, esta manera evitarás que el bebe se deslice.

Saca de paseo a tu bebé todos los días si el tiempo lo permite. Es importante establecer la rutina de paseos diarios.

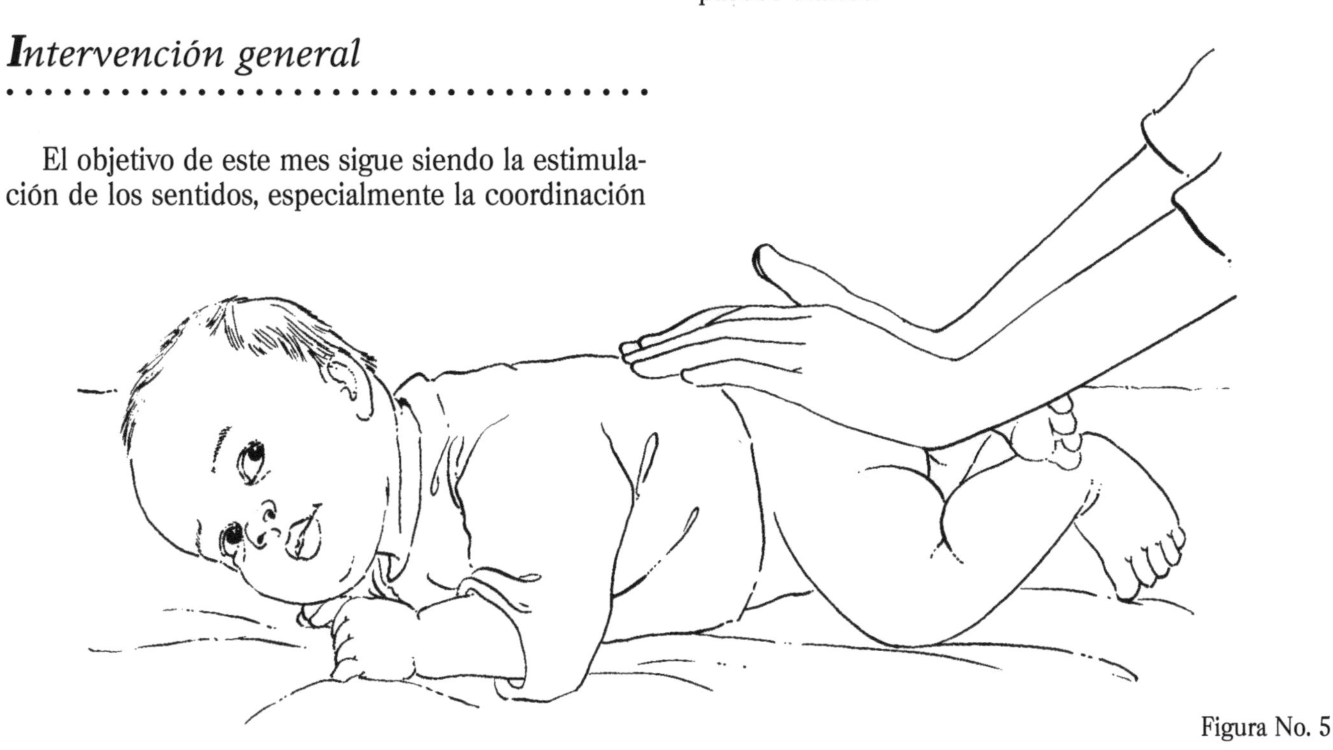

Figura No. 5

Esta actividad ampliará sus posibilidades de percepción y comprensión. Con el fin de ayudarle a desarrollar sus sentidos de audición y vista, háblale y ubícate cada vez más lejos de él.

Puedes comenzar a acostumbrarlo al corral, ya que éste será un lugar transitorio y seguro en momentos en que necesites tiempo para tus cosas personales. Sin embargo recuerda que no lo debes mantener mucho tiempo allí ya que estarás limitando su aprendizaje.

Si tu bebé está excesivamente cansado o agitado y no puede comer ni dormir, es importante consolarlo. Álzalo, estréchalo junto a tu pecho y háblale en voz baja.

Es el momento para consultar al pediatra sobre sus vacunas.

Estimulación directa

En este mes debes iniciar los ejercicios de estimulación con una frecuencia de una a tres veces máximo, cada vez que los realices. Habrá algunos ejercicios tales como cantar, hablar, sonreír, acariciar, que no requieren una frecuencia exacta, sino que dependen de la disponibilidad, tanto del bebé como tuya. La periodicidad semanal la encontrarás al final de cada mes, en el cuadro denominado Programación Semanal de Estimulación.

Estimulación motriz

1. OBJETIVO: Fortalecer los músculos.

a) Cuando el bebé esté sentado, acostado o levantado en brazos, muévelo de un lado a otro, sosteniéndolo ya no desde la cabeza sino en la espalda y el pecho con tus manos. El bebé deberá mantener la cabeza erguida. Puedes igualmente acostarlo boca abajo y acariciarle las nalgas y la espalda para que levante la cabeza. (Figura 5).

Figura No. 6

2. OBJETIVO: Estimular el equilibrio.

a) Alza al bebé unos veinticinco centímetros y balancéalo hacia adelante, hacia atrás, hacia un lado y otro, hacia arriba y hacia abajo, y en círculo; ve nombrando cada una de estas direcciones. (Figura 6).

b) Colócalo sobre un balón pequeño de inflar, de tal manera que su pecho (no el vientre) quede apoyado sobre él y que sus pies toquen el suelo.

Muévelo hacia adelante y atrás, derecha e izquierda. (Figura 7).

3. OBJETIVO: Estimular el reflejo de agarre de las manos.

a) Deja que agarre tus dedos y mueva su cuerpo en varias direcciones.
b) Colócale varios juguetes a su alcance, permitiéndole que los agarre y los suelte.
c) Coloca horizontalmente sobre su cuna un tubo, amárrale bolas de colares u otros objetos como tubos pequeños, cuadrados, etc., para que el bebé trate de alcanzarlos. Es importante que tengas la precaución de sujetarlos bien a la cuerda, y de que no sean muy pequeños, para que no corra el peligro de tragárselos o golpearse con ellos.

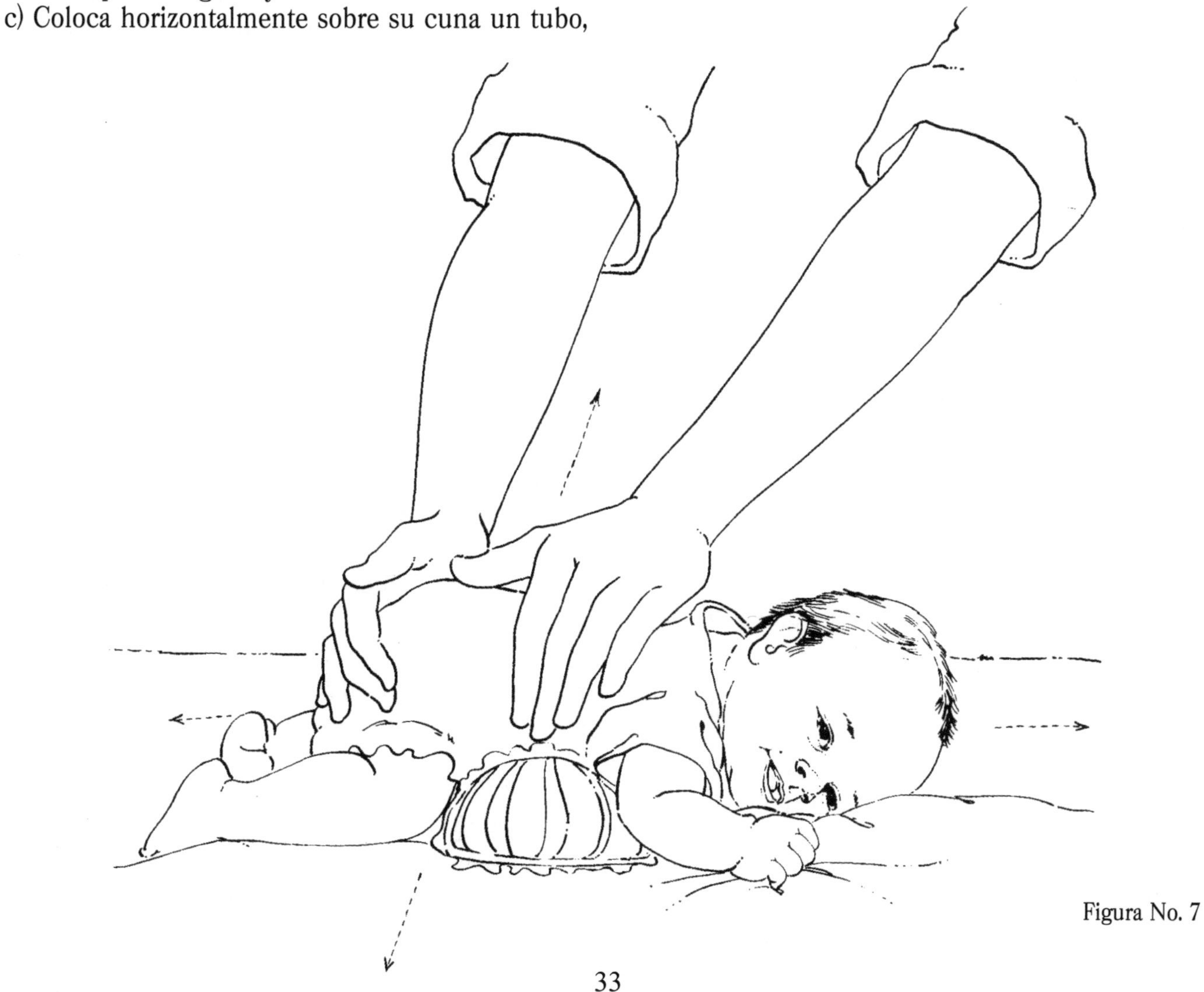

Figura No. 7

d) Acostumbra a colocar al bebé boca abajo para que rasgue o arañe las cobijas. Es importante que el bebé vea su mano al realizar este movimiento para que vaya fijándolo en su memoria, ya que lo utilizará otras veces una vez lo haya visto.

Estimulación cognoscitiva

1. OBJETIVO: Estimular la capacidad para reconocer y diferenciar a las personas.
a) En cada una de sus actividades (alimento, aseo, etc.), d.ile en voz alta: "yo soy tu mamá", "él es tu papá", "tu eres el bebé".

2. OBJETIVO: Estimular el reconocimiento de las partes de su cuerpo.
a) Cuando esté desnudo, muéstrale cada una de las partes de su cuerpo. Llama su atención sobre cada, uno de sus miembros ("ésta es tu mano" y "ésta tu otra mano", "éste es tu pie", etc.).

Estimulación del lenguaje

1. OBJETIVO: Familiarizar al bebé con el lenguaje humano.

a) Refuerza sus sonidos guturales, haciendo preguntas adicionales. Por ejemplo, cuando el bebé emita algún sonido, inmediatamente dile: "¿sí?, no me digas", "¿verdad?", "¿qué dice el bebé?".
b) Háblale utilizando palabras cortas.
c) Cántale canciones que tengan movimientos corporales.

Estimulación visual

1. OBJETIVO: Estimular la fijación y seguimiento del objeto.
a) Cuando el bebé esté boca arriba, suspende de una cuerda un objeto llamativo (un muñeco pequeño, el dibujo de una cara, un sonajero, llaves de juguete). Una vez lo haya enfocado, muévelo suavemente en diferentes direcciones. Colócalo frente a la cara del bebé y ayúdale a que con un dedo trace el contorno externo del objeto.

2. OBJETIVO: Ampliar el campo visual del bebé.
a) Cuando lo tengas cargado, colócalo de tal manera que su campo visual sea lo más amplio posible. Ve mostrándole y nombrando cosas que hacen parte de la alcoba, de la sala, etc.

3. OBJETIVO: Reconocer la figura humana.
a) Coloca frente a sus ojos una lámina de veinticinco por veinticinco centímetros de lado, con un dibujo de un rostro humano dibujado en líneas muy definidas, preferiblemente la figura en negro sobre fondo blanco.
b) Lleva la atención del bebé sobre sus manos amarrando unas cintas de colores a sus muñecas.

Estimulación olfativa

1. OBJETIVO: Desarrollar las capacidades olfativas del bebé.
a) Lleva a cabo la estimulación de igual manera que el mes anterior, incrementando los aromas.

Permítele que huela algunos alimentos como la manzana, el durazno, la naranja. Puedes hacerlo varias veces al día.

Estimulación auditiva

1. OBJETIVO: Estimular la percepción de los sonidos.
a) Agita objetos sonoros (cascabeles, móviles u otros juguetes musicales, cajas con piedras, cereales, etc.), suavemente cerca de su cara, para que el bebé trate de voltear su cabeza. Hazlo hacia el hombro derecho y luego hacia el izquierdo.
b) Haz algún sonido cuando el bebe este llorando; por ejemplo, repite el llanto, o di reiterativamente "ah, ah, ah".
c) Mueve un sonajero hacia arriba y hacia abajo a quince centímetros aproximadamente del oído del bebé.
d) Cántale una canción corta y muévelo siguiendo el ritmo.

Estimulación táctil

1. OBJETIVO: Relajar los músculos.
a) Masajea cada una de las partes del cuerpo del bebé, preferiblemente impregna tus manos con aceite para que el masaje sea más efectivo. Ayuda a relajar la tensión de los puños colocando en sus palmas objetos de diferentes diámetros (una pelota, un cubo, un aro, etc.). Ejerce sobre sus palmas presión firme aunque suave para que trate de sostenerlos.

2. OBJETIVO: Reconocer táctilmente las partes del cuerpo.
a) Lleva las manos del bebé al centro del cuerpo, palmotea una contra la otra, frótalas en círculo, llévaselas a la boca. Acaricia con ellas otras partes de su cuerpo.

3. OBJETIVO: Reconocer diferentes texturas.
a) Permítele que toque objetos con diferentes texturas, (un muñeco de felpa, un retazo de seda, una esponja, la alfombra, una superficie rugosa, etc.) mientras tú vas repitiendo verbalmente: "áspero", "suave", etc.

Estimulación socio-afectiva

1. OBJETIVO: Afianzar la relación padre-hijo.

a) Acércate al niño hablándole en un tono suave y afectuoso, y permanece frente a él sonriéndole.
b) Cuando esté ansioso álzalo, abrázalo y cálmalo con palabras dulces y amables.
c) Permite que toque tu rostro. Si no lo hace, lleva su mano para que lo explore, mientras le vas diciendo "esta es mamá, tu mamá".

Programación Semanal de Estimulación
Segundo mes

Días / *Áreas de estimulación*	*Lunes*	*Martes*	*Miércoles*	*Jueves*	*Viernes*	*Sábado*
Estimulación motriz	1a; 3b	2a; 3a; 3b	1a; 2b; 3d	2a; 3b; 3c	1a; 3c; 3d	3a; 3b
Estimulación cognoscitiva	1a; 2a		1a; 2a		1a	2a
Estimulación visual	1a; 2a	2a; 3b; 3b	1a; 2a	1a; 2a; 3b	2a; 3a	1a; 2a
Estimulación auditiva	1a; 1c	1d	1a; 1b	1b, según la oportunidad	1a; 1d	1c
Estimulación táctil	1a; 3a	2a	1a; 3a	2a	2a	1a; 3a
Estimulación olfativa	1a		1a		1a	
Estimulación del lenguaje	1a; 1b; 1c	1a; 1b	1a; 1b; 1c	1b	1a; 1b; 1c	1a; 1b
Estimulación socio-afectiva	1a; 1b; 1c	1a; 1b; 1c	1a; 1b; 1c	1a; 1b; 1c	1a; 1b; 1c	1a; 1b; 1c

Resumen del Segundo mes

Peso	*Medida*	*Desarrollo físico*	*Desarrollo sensorio motor*	*Desarrollo intelectual*	*Desarrollo social*	*Juguetes*
Niño 5.2 kg Niña 4.7 kg	58 cm 55 cm	Los controles reflejos comienzan a desaparecer, mientras que las acciones se van volviendo más voluntarias. Mueve como pedaleando brazos y piernas suavemente. Puede mantener la cabeza hasta en un ángulo de 45 grados, por algunos segundos. Cuando se alza verticalmente por el tronco, trata de mantener la cabeza firme y derecha. Cuando se le recuesta trata de mantener firme la cabeza pero todavía continúa débil. Descubre sus manos y su movimiento. Puede mantener los objetos agarrados por segundos.	Se queda mirando indefinidamente a su alrededor. Coordina el movimiento circular de sus ojos cuando observa un objeto a plena luz. Hace un recorrido visual de la esquina exterior del ojo hasta la línea media del cuerpo. Los objetos que se mueven o balancean retienen su atención por más tiempo. Fija su atención sobre uno de los objetos que se le muestran. Se sobresalta ante ciertos ruidos o se manifiesta ante éstos con un gesto. Escucha definitivamente los sonidos. En respuesta a estímulos interiores probablemente puede llegar a "vocalizar" o gesticular.	Se excita ante la anticipación de los objetos. Reacciona con movimientos de todo su cuerpo y hace esfuerzos por asir un objeto que le atrae particularmente. Puede comenzar a mostrar preferencias por el lado derecho o el izquierdo. Comienza a estudiar los movimientos de sus propias manos. Puede discriminar claramente entre voces, personas, distancias y tamaños de los objetos. Los sentidos están más coordinados.	Es capaz de manifestar angustia, excitación y placer. Se silencia cuando chupa. Vidualmente, prefiere una persona que un objeto. Observa a una persona directa y atentamente y la sigue con los ojos si está moviéndose. Responde ante la presencia de una persona con excitación y moviendo brazos y piernas, jadeando o gesticulando. Se mantiene despierto por más tiempo si las personas interactúan con él. Disfruta el baño.	Espejo irrompible. Telas de diferentes texturas. Tablero de ajedrez con 8 cuadros blancos y negros. Campanas o sonajeros. Grabaciones de canciones infantiles. Extractos de los olores agradables. Móviles de cuerda. Juguetes blandos. Caras sonrientes. Sonajeros para amarrar en las manos.

Registro de Evaluación Mensual

Semanas / *Áreas de desarrollo y estimulación*	*Primera*	*Segunda*	*Tercera*	*Cuarta*
Desarrollo y estimulación motriz				
Desarrollo y estimulación cognoscitiva				
Desarrollo y estimulación auditiva				
Desarrollo y estimulación del lenguaje				
Desarrollo y estimulación socio-afectiva				
Desarrollo y estimulación quinestésica				

Anotaciones para el próximo mes:

Tercer Mes

Introducción

A esta edad el bebé ha alcanzado grandes progresos, es más activo y comienza a adaptarse al ritmo de la madre. Va apareciendo su individualidad, mostrando un temperamento muy propio.

Se observa en él un gran interés por todo lo nuevo: personas, juguetes, situaciones diferentes aunque con algunas restricciones, ya que la novedad lo desconcertará cuando no pueda manejarla, pero las situaciones muy familiares no le resultarán tan excitantes. Esta nueva actitud del bebé le indicará a la madre que tipo de actividad de estimulación desarrollar, así como el tiempo de duración y la frecuencia. El baño es una excelente oportunidad para estimular al bebé en todas sus áreas.

Por otra parte, el bebé tiene ahora mucho más control sobre sus propios movimientos, especialmente los de la cabeza (por la fuerza que ahora tienen los músculos del cuello); en general sus movimientos son menos tambaleantes.

El sistema nervioso está madurando rápidamente, por lo tanto puede coordinar las actividades de mirar, agarrar, chupar o mamar, dando lugar así a una autoestimulación que lo lleva de ser pasivo a una gran actividad que le produce placer y satisfacción.

Estará totalmente fascinado con sus propias manos y dedos, y comenzará a usarlos para alcanzar objetos que sean de su interés; podrá asirlos, lo que será un prerrequisito para la exploración, así como para verlos en detalle.

Si le muestras un objeto pequeño y atractivo, no se conformará con mirar: querrá que tanto sus ojos como sus manos participen de la exploración. Sin embargo, aunque su curiosidad es alta, está limitada por su madurez física. Debes proporcionar estímulos adecuados para que ésta se desarrolle.

El bebé de tres meses demuestra su curiosidad de diferentes maneras: por el interés que refleja al contemplar tu rostro, por la forma en que mira el movimiento de sus propias manos y por su tendencia a tocar los objetos que le rodean, tales como su ropa y sus sábanas. En general lo hará mirando, palpando, succionando y escuchando.

Características de desarrollo

Desarrollo motor

En este mes el bebé mueve sus piernas y brazos vigorosamente. Podrá hacerlo al mismo tiempo con los brazos o las piernas, o pierna y brazo del mismo lado. Habrá una tendencia a extender las piernas cuando se ejerce presión en las plantas de los pies. La fuerza que ha desarrollado en ellas se refleja en la habilidad del bebé para soportar su propio peso cuando se le sostiene en posición vertical, con los pies apoyados sobre una superficie.

Generalmente, hacia los tres meses y medio aparece la posición de manos a la altura del cuerpo, con los dedos entrelazados. Podrás observar esta actitud cuando le muestres al bebé un objeto nuevo y pequeño, que este a su alcance.

Es el tránsito de la debilidad a la fuerza. El bebé se mantiene sobre su estómago con las piernas flexionadas y se sostiene sobre sus codos. Cuando está en posición boca abajo, endereza su espalda y cabeza por diez segundos. Puede sentarse con algún soporte.

Al enderezarlo el bebé sostiene la cabeza; la gira de un lado a otro desde cualquier posición cuando está acostado.

Descubre los objetos con las manos, tratando de tomarlos cuando estén cerca. Aprende que sus puños desdoblados pueden dar el poder de prensa y mover el objeto. Separa y junta las manos y agita sus brazos cuando ve algo que le llama la atención.

Pedalea cuando está boca arriba y observa el movimiento de sus pies. De esta forma comienza a aprender la extensión de su cuerpo, su integridad y su autonomía en relación a lo que le rodea.

Al comienzo del tercer mes los movimientos aún son reflejos, pero poco a poco empiezan a desaparecer; algunos, como el reflejo de moro y el de prensión, están básicamente ausentes.

Dirige de manera deliberada sus brazos para obtener y explorar los juguetes; los agita cuando ve un objeto que le llama la atención por el color o la forma.

Desarrollo cognoscitivo

El bebé se da cuenta que los objetos que manipula son diferentes. Ha desarrollado la memoria; su cara se iluminará si se le muestra un objeto que ha visto antes. Comienza a reconocer y diferenciar los miembros de la familia. Explora su cara, ojos y boca con sus manos.

Hacia finales de este mes se pierde el predominio del lado derecho del cerebro, al que habíamos hecho mención al comienzo del manual, para imponerse los dos lados, tanto el izquierdo como el derecho, lo que se denomina bilateralidad.

Desarrollo del lenguaje

El bebé balbucea, ronronea y hace gárgaras. Cuando está solo, tranquilo y satisfecho, emite sonrisas, sonidos y gritos. Juega con los órganos que intervienen en la emisión del lenguaje (lengua, cuerdas vocales, etc.) como comienzo de un juego social, ya que lo hará como respuesta a las palabras de otra persona.

Su llanto se hace diferencial por sueño o por hambre.

Desarrollo visual

En este mes el bebé descubre las manos con sus ojos, primer paso para tener conciencia de sí mismo. Mira los objetos que se encuentran a una distancia de hasta tres metros y rastrea un objeto que se mueve lentamente y se encuentre a treinta centímetros con ambos ojos girando su cabeza 180°. Comienza en esta etapa a reaccionar ante la tercera dimensión y aumenta la coordinación visomotriz.

Ve sus dedos por separado, pero no la mano completa. Igualmente puede ver los objetos en detalle y muestra gran interés por los colores contrastantes.

Desarrollo olfativo

En este mes el bebé se vuelve mucho más sensible a los olores, comienza a acercar los objetos hacia sí mismo o a sostenerlos sobre su pecho.

Desarrollo auditivo

En este mes el bebé identifica la fuente del sonido y voltea su cabeza con seguridad hacia la dirección de la cual proviene, logrando de esta manera coordinación oído-vista-movimiento.

Se tranquiliza cuando oye voces familiares y sonidos rítmicos; llora ante sonidos amenazadores; reconoce la voz de su madre y se emociona cuando escucha el agua de la tina o la ducha. Deja de chupar al oír algún sonido.

Desarrollo táctil.

El bebé descubre los objetos con las manos. Su boca se convierte en un centro procesador químico que le dará información sobre los sabores y texturas que tienen los objetos más próximos. Por eso todo empieza a ir a la boca. Trata de alcanzar objetos, y ya puede agarrarlos y sostenerlos por un tiempo corto.

Desarrollo socio-afectivo

Durante esta etapa se observa un cambio de humor en el bebé. Parece más feliz que en cualquier otra época de su vida. Naturalmente hay excepciones, y no tienes por qué alarmarte si tu hijo no está siempre eufórico. Pero, en general, es una época en que los bebés parecen estar crónicamente alegres. La sonrisa fácil y frecuente parece estar vinculada con el gran interés que demuestran en contemplar el rostro humano, sobre todo entre la punta de la nariz y el cabello.

Igualmente, el bebé expresa otros estados afectivos tales como la ira y la frustración en respuesta a situaciones que le son desagradables.

Observa con atención lo que se encuentra a su alrededor, demostrando deleite ante algo que le resulte llamativo.

Conoce a varias personas distintas a su madre y, ante estímulos, sonríe fácil y espontáneamente. Aumentan la expresión facial, el tono muscular y la vocalización.

Protesta cuando se le deja solo. Llora distinto cuando su mamá se aleja en relación con otros motivos de llanto.

Los horarios de dormir, comer y de estar alerta comienzan a ser más regulares.

Intervención general

El esfuerzo en este mes está dirigido a mostrarle al bebé que su cuerpo es un ente integral e independiente. Así, por ejemplo, puedes cantarle una canción donde se nombren las diferentes partes del cuerpo, señalar con gestos las tuyas propias, hacerle masajes frente al espejo nombrando cada una de ellas. Para ayudarle a entender que su cuerpo funciona como una sola cosa, cada vez que tú, el papá u otro familiar lo alza, díle: "papá esta alzando a Andrés". Así mismo, acostumbra a dejarle ratos de juego libre boca abajo, pero vigilado.

A través del refuerzo de los logros alcanzados, el bebé irá construyendo el sentido del orgullo. Alaba los pequeños intentos que lo llevan a lograr una acción cuando la esté aprendiendo, y la ejecución completa cuando haya madurado la acción.

Cada vez que puedas, sostén al bebé en forma segura sobre tu regazo para que dé un vistazo distinto al mundo.

Ten presente que en este momento su curiosidad no debe ser limitada, ya que gracias a la observación detenida e interesada descubre su cuerpo. Sus manos son ahora el mejor instrumento de exploración para interactuar con su mundo exterior.

Estimulación directa

En este mes debes iniciar los ejercicios de estimulación con una frecuencia de una a cinco veces máximo, cada vez que los realices. Recuerda que habrá algunos ejercicios tales como cantar, hablar, sonreír, acariciar, que no requieren una frecuencia exacta, sino que dependen de la disponibilidad, tanto del bebé como tuya. La periodicidad semanal la encontrarás al final de cada mes, en el cuadro denominado Programación Semanal de Estimulación.

Estimulación motriz

1. OBJETIVO: Fortalecer músculos de las piernas.

a) Coloca al bebé boca abajo sobre un cilindro grande (una toalla enrollada), sosténlo por los muslos y hazlo rodar lo suficiente para que sus manos toquen el suelo frente a él. Empuja ligeramente las plantas de sus pies para que gatee hacia adelante y hacia atrás dos veces. Su cuerpo se deslizará sobre la toalla hasta el suelo. (Figura 8).

b) Acostado boca arriba flexiona alternadamente las piernas a modo de pedaleo.

c) Toma el bebé, acostado boca arriba, toma con una mano los pies y con la otra el pecho (bajo la paletilla izquierda), voltéalo a la izquierda y luego a la derecha, levantándolo quince centímetros. (Figura 9).

d) Coloca sobre las plantas de los pies un estímulo (una almohadilla, un cilindro pequeño, etc.) de tal manera que le haga presión. Empezará a extender y doblar las piernas rítmicamente. Puedes también hacer presión con tu mano en las plantas para que intente empujarse hacia adelante.

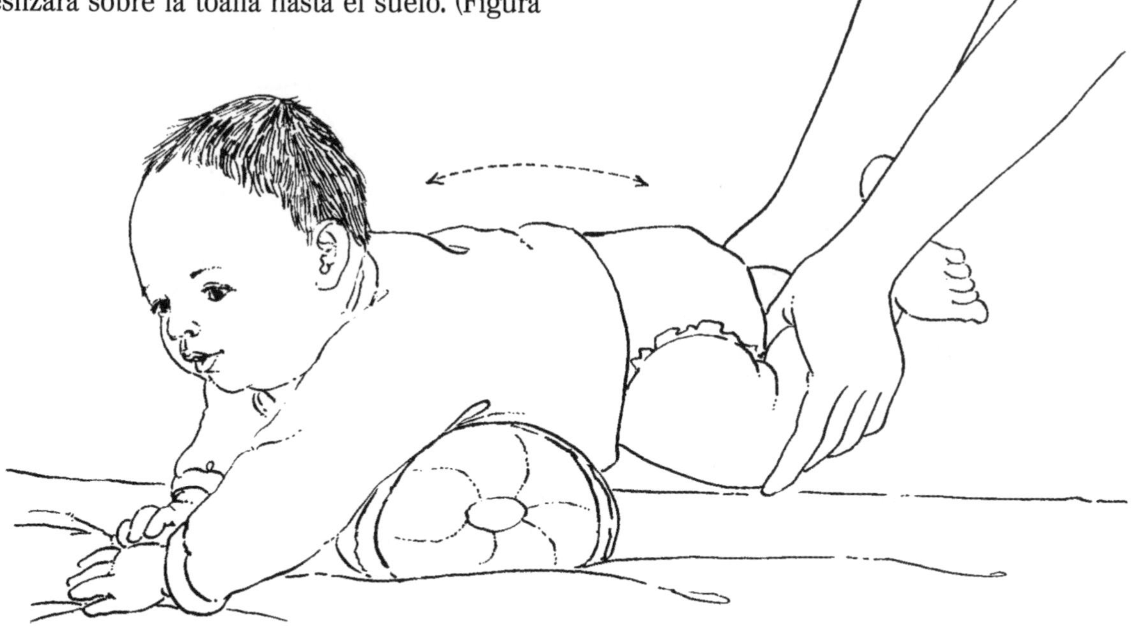

Figura No. 8

e) Ayúdale en sus primeros intentos de voltearse, cruzándole suavemente las piernas hacia un lado.

2. OBJETIVO: Fortalecer los músculos de la espalda.

a) Cuando el bebé este boca abajo (ojalá desnudo), apoya tu mano a la altura de la cintura y con la otra empuja la barbilla hacia arriba. De esta manera el bebé eleva la cabeza y se trabaja la espalda. En esta misma posición, lleva una y otra pierna hasta que los pies toquen las nalgas. Haz el ejercicio repitiendo en voz alta cada uno de los pasos. (Figura 10).

3. OBJETIVO: Fortalecer los músculos de brazos y manos.

a) Coloca en las manos del bebé unos aros o una barra gimnástica para que intente agarrarse de ella. Una vez se haya agarrado, ayúdalo para que se mueva de un lado a otro.

b) En esta misma posición, ayúdale a que se sostenga mientras halas hasta que quede medio sentado. Si no controla bien su cabeza o no se agarra bien, álzalo sólo cinco centímetros. Cuando el bebé sostenga un juguete y se le escape de la mano, ayúdalo a tratar de tomarlo.

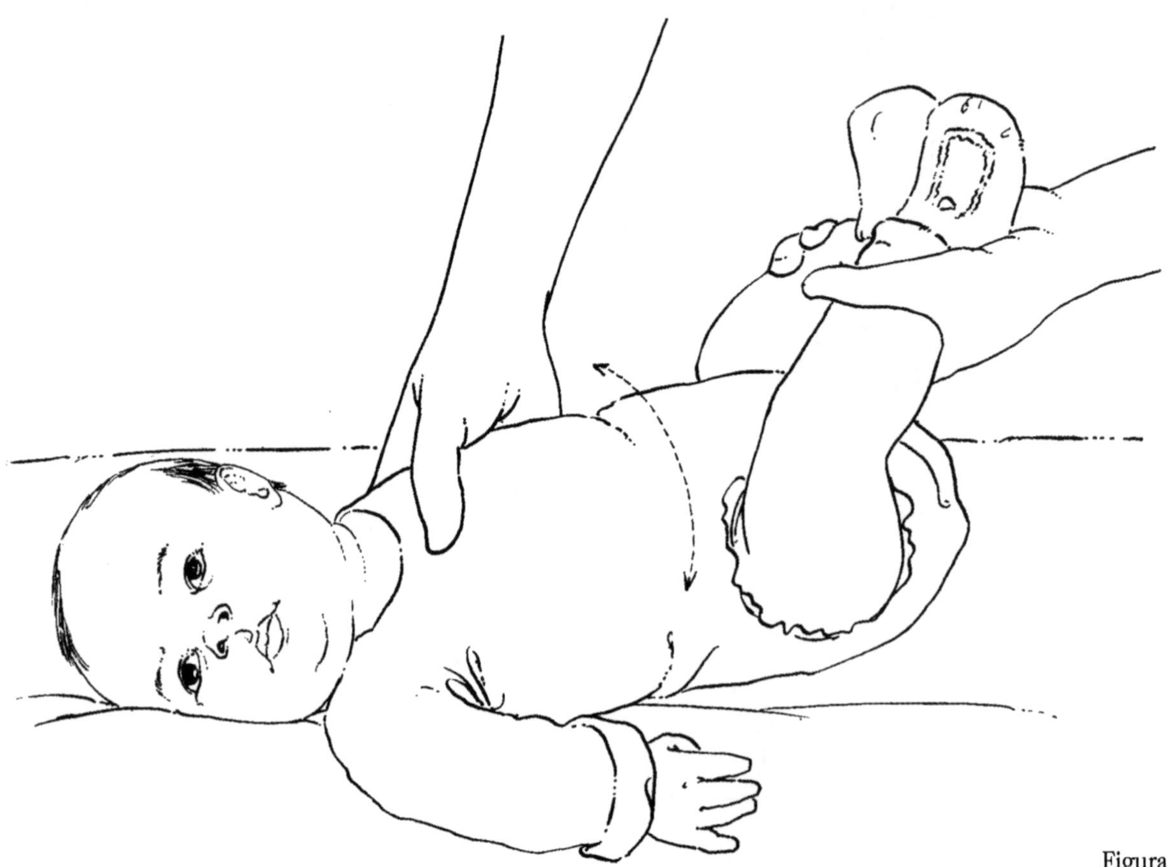

Figura No. 9

Figura No. 10

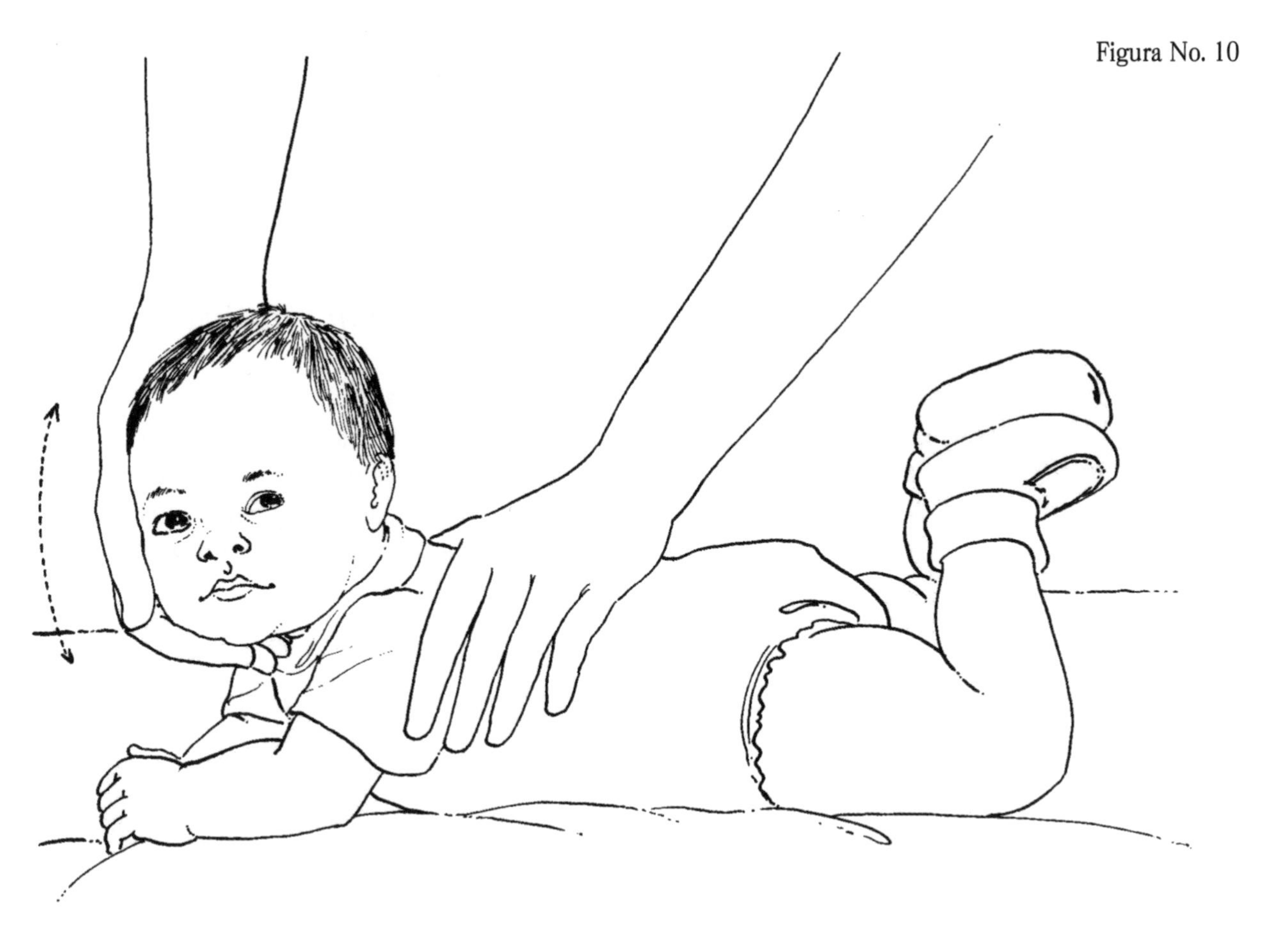

Estimulación cognoscitiva

1. OBJETIVO: Estimular la percepción de sí mismo como un todo.
a) Ayúdale a llevar sus pies y sus manos a la boca. Aprenderá que forman parte de sí mismo.

2. OBJETIVO: Posibilitar el reconocimiento de lo que le rodea.
a) Muéstrale y describe por su nombre diversos objetos, lugares y situaciones.

3. OBJETIVO: Estimular la memoria.
a) Déjale ver en diversas circunstancias juguetes que le agradan y son familiares. Por ejemplo, muéstrale en una vitrina de un almacén, el perro con que juega todos los días.

Estimulación del lenguaje

1. OBJETIVO: Familiarizar al bebé con las acciones a través del lenguaje.

a) Cuando lleves a cabo ejercicios de estimulación, o simplemente alguna actividad cotidiana, repite en voz alta cada una de las acciones. Por ejemplo: "ahora la mamá va a darle una papilla al bebé, mmm...que rico"... "Andrés va a bañarse, primero se quita la camisa, después el pantalón y después a la ducha".

2. OBJETIVO: Desarrollar el aprendizaje por imitación.
a) Si el bebé no emite con mucha frecuencia sonidos, procure hablarle con sonidos guturales.
b) Repite los sonidos que el bebé realiza casualmente para que este a su vez los imite (imitación mutua). Varía la intensidad y la altura al realizar este juego.

Estimulación visual

1. OBJETIVO: Reforzar la fijación de la mirada en un objeto y el seguimiento que el bebé hace de esos objetos.
a) Muéstrale objetos que le resulten llamativos (su muñeco preferido, un títere, un cascabel; puedes también utilizar tus manos moviendo los dedos) y busca que fije su mirada. Una vez lo haya hecho, muévelo suavemente. El bebé tratará de seguir el movimiento.
b) Sienta al bebé y dale un juguete que pueda agarrar fácilmente. Estira su brazo al frente y sacude el objeto de manera que pueda seguir sus propios movimientos. Mueve su brazo de arriba hacia abajo y de un lado a otro.

2. OBJETIVO: Fortalecer la coordinación ojo-mano.
a) Cuelga un móvil de tal manera que el bebé pueda alcanzar y tocar las figuras con sus manos.
b) Muéstrale, jugando, cada uno de sus miembros inferiores y superiores. Estimúlalo para que toque su mano, su pie, alternativamente.

Estimulación olfativa

1. OBJETIVO: Discriminar diferentes olores.
a) Permite que el bebé huela el aroma de verduras y frutas frescas (hay unas muy aromáticas como el mango, el durazno, etc.), de las flores, de la tierra húmeda.

Estimulación auditiva

1. OBJETIVO: Establecer la asociación sonido-movimiento.
a) Pon en la mano del bebé un juguete sonoro (un gatito que chille, un cascabel, una cajita con piedras, etc.) sacúdelo o apriétalo según sea necesario, varias veces, haciendo pausas. Alza al bebé y con él cargado cántale una canción mientras haces sonar el juguete.

2. OBJETIVO: Reconocer el lenguaje humano.
a) Léele poemas y pequeños cuentos. Asegúrate de repetir frecuentemente el nombre del bebé para mantener su atención.

3. OBJETIVO: Reconocer la fuente del sonido.

a) Hazle escuchar un sonido vocal (una letra, una sílaba) para que el bebé busque de dónde proviene. Una vez que esto ocurre, lo mejor es dejarse ver para que asimile el sonido al rostro humano.

Estimulación socio-afectiva

1. OBJETIVO: Desarrollar habilidades sociales.

a) Entrega el bebé para que otra persona conocida lo cargue. Di en voz alta: "ahora la tía va a alzar a Andrés".

2. OBJETIVO: Reforzar la conformación de la imagen de sí mismo.

a) Muéstrale al bebé sus manos repitiendo: "estas son tus manos, las manos de Andrés", muéveselas, haz que palmotee; realiza este ejercicio también frente a un espejo. Recuerda que en este momento las manos son su principal centro de interés y un valioso instrumento para el conocimiento de sí mismo. Dale también pequeños masajes y dile "que lindas manos tienes".

Programación Semanal de Estimulación
Tercer mes

Días / *Áreas de estimulación*	*Lunes*	*Martes*	*Miércoles*	*Jueves*	*Viernes*	*Sábado*
Estimulación motriz	1a;1d;1e;2a	1b; 1c; 3a	1b; 1d; 2a	1b;1c;3a;3b	1c;1d;3a;3b	1a; 1e; 2a
Estimulación cognoscitiva	1a; 2a	1a; 3a	1a; 2a	1a; 3a	1a; 3a	1a; 2a
Estimulación visual	1a; 2a; 2b	1a; 2a; 2b	1a; 2a; 2b	1a; 2a; 2b	1a; 2a; 2b	1a; 2a; 2b
Estimulación auditiva	1a; 3a	2a	1a; 3a	2a	1a	3a
Estimulación táctil						
Estimulación olfativa	1a	1b	1a		1b	1a
Estimulación del lenguaje	1a; 2a y 2b según la oportunidad					
Estimulación socio-afectiva	1a y 2a según la oportunidad	2a	2a	2a	2a	2a

Resumen del Tercer mes

Peso	*Medida*	*Desarrollo físico*	*Desarrollo sensorio motor*	*Desarrollo intelectual*	*Desarrollo social*	*Juguetes*
Niño 6.0 kg Niña 5.4 kg	61 cm 59 cm	Mueve los brazos y piernas vigorosamente. Puede llegar a mover los brazos juntos, luego las piernas de un lado y luego las del otro. Se siente la fortaleza de su cuerpo cuando es cargado. Se recuesta sobre el estómago con las piernas flexionadas. Cuando está sobre el estómago levanta el pecho y la cabeza por segundos. Puede llegar a levantar la cabeza por muchos minutos. Intenta apoyarse con los codos cuando está sobre el estómago. Ya el movimiento débil de la cabeza es mínimo. Comienza a agitarse con los objetos. Trata de alcanzar algo con ambos brazos, comenzando a los lados y llevándolos hacia el centro del cuerpo.	Sigue un objeto en movimiento con los ojos y la cabeza. Puede ver los dedos individualmente en vez de verlos en posición de puño. Para de chupar para escuchar. Observa y chupa al mismo tiempo. Busca visualmente el sonido, volteando la cabeza y cuello. Distingue los sonidos del "habla" de otros sonidos. El reflejo de "asir" está desapareciendo y las manos permanecen generalmente abiertas. Agita los brazos cuando ve un objeto que le llama la atención.	Comienza a mostrar evidencia de memoria de largo plazo. Está a la expectativa de gratificaciones esperadas tales como la alimentación. Comienza a reconocer y diferenciar a los miembros de la familia que están cerca de él. Explora con sus propias manos su cara, ojos y boca. Responde a la mayoría de las estimulaciones con todo su cuerpo.	Sonríe fácilmente y de manera espontánea. El llanto disminuye considerablemente. Permanece alegre. Aumentan las expresiones faciales, su tonicidad corporal y la "vocalización". "Gorjea" y "arrulla" en respuesta a sonidos. Responde con todo su cuerpo a la cara que reconoce. Protesta cuando se le deja solo. Llora de manera diferente cuando su madre lo deja, que cuando otras personas lo hacen. Reacciona diferente ante la presencia de su madre. Trata de llamar la atención cuando ella está cerca. Los patrones de comida, sueño y actividad comienzan a establecerse.	Aros gimnásticos para la cuna. Letras y números. Triángulos negros sobre una cartulina blanca. Tablero de ajedrez de 12 cuadros en blanco y negro. Franjas rojas pintadas sobre blanco. Sonajeros de diferentes formas. Círculos rojos. Cubos de colores. Juguetes de colores brillantes.

Registro de Evaluación Mensual

Semanas / *Áreas de desarrollo y estimulación*	*Primera*	*Segunda*	*Tercera*	*Cuarta*
Desarrollo y estimulación motriz				
Desarrollo y estimulación cognoscitiva				
Desarrollo y estimulación auditiva				
Desarrollo y estimulación del lenguaje				
Desarrollo y estimulación socio-afectiva				
Desarrollo y estimulación quinestésica				

Anotaciones para el próximo mes:

Cuarto Mes

Introducción

En esta etapa el movimiento constituye una de las características más importantes ya que se constituye como una de las necesidades psicológicas básicas del niño. Es a través del control de sus movimientos como ejerce la capacidad de realizar actividades más complejas.

Consigue un gran progreso en lo que se refiere a movimiento de brazos y manos, la manipulación tiene en este momento gran importancia para el desarrollo de juego y del pensamiento. Sus movimientos son deliberados, comienza a conocer y distinguir los objetos, su forma, su posición y su distancia.

En el inicio de los movimientos adaptativos anticipatorios, o sea aquellos que el bebé realiza adelantándose a la situación. Por ejemplo, si colocas un sonajero inclinado hacia la derecha, el bebé intentará extender su mano en la misma posición. Estos movimientos revelan el desarrollo de la inteligencia.

Por otro lado el bebé está aprendiendo sobre la ubicación de las personas y las cosas en el espacio. Su capacidad visual está a punto de desarrollarse plenamente y puede ver casi todo lo que hay en su habitación.

En cuanto a sus habilidades sociales, éstas han aumentado y se encuentra especialmente dispuesto a ser "amigo" de todos. Llora poco y muestra especial interés por las cosas, las personas y los acontecimientos.

Es el tiempo de reforzar muchos hábitos. Continúa haciendo de siete a ocho siestas diarias y puede dormir toda la noche. Ha establecido un claro intervalo entre la alimentación y la evacuación.

Los primeros dientes están a punto de salir. El cuerpo del bebé se está llenando con proporciones agradables a medida que sus músculos crecen y se fortalecen.

Sus sentidos están más desarrollados y logra mayor armonía entre ellos. La boca continúa siendo uno de los medios más importantes de conocimiento y aprendizaje de los objetos.

Características de desarrollo

Desarrollo motor

El bebé disfruta de un buen control sobre los movimientos de la cabeza; boca arriba, puede sostenerla y girarla en todas las direcciones. El reflejo tónico del cuello (la tensión del cuello) disminuye. Se voltea en dirección al objeto que le llama la atención.

Puede mantenerse sentado por unos minutos si está siendo sostenido por alguien. Se fortalecen los músculos del tronco, el estómago y el pecho, lo que le permite girar desde la posición boca arriba hacia ambos lados, hasta darse la vuelta por completo; da botes y se impulsa hacia adelante. Se acuesta sobre su estómago con las piernas extendidas. Cuando lo sostenemos erguido, hace presión con los pies sobre la superficie que esté tocando; patea continuamente porque los músculos de las piernas son ya muy vigorosos.

En esta etapa, sus manos y brazos se vuelven más activos; manipula los objetos, lo que le da mayor conocimiento sobre éstos. Nuevamente aparece el reflejo de presa (juntar el pulgar y el índice, de manera automática frente a un objeto), pero esta vez lo utiliza para mover todo el cuerpo o tomar algo intencionalmente.

Estira los brazos para alcanzar los objetos, con la mano abierta preparada para agarrarlos. Se prende al cabello de las personas, pero no puede soltarlo pues aún no tiene la habilidad de relajación de la presa. Por esto no podrá sostener dos objetos al mismo tiempo.

Se toma las manos deliberadamente, juega con ellas por períodos más largos. Ya no se dedica a tocarlas y mirarlas únicamente, sino que le interesa lo que puede lograr con ellas.

Desarrollo cognoscitivo

En esta etapa el bebé repite respuestas que producen resultados interesantes. Podrá apretar varias veces un juguete hasta hacerlo producir un sonido.

Ha aprendido para qué sirven las manos pero aún sabe bien dónde terminan ya que para él es la palma de su mano la que hace la función general de prensión.

Reconoce las propiedades físicas de los objetos y muchas otras características tales como el peso, la forma y la superficie. Altera la posición de los objetos y su distancia, y está en capacidad de observar los cambios.

Tiene un lapso de memoria inmediata entre cinco y siete segundos. Con respecto a la memoria a largo plazo, ésta se limita a las caras y voces familiares. Se sorprende con la diferencia entre sus propios actos y los resultados externos. Igualmente, ya pierde interés en la repetición de un mismo estímulo.

El descubrimiento de la relación causa-efecto es en este momento una evidencia del despertar del pensamiento y de su gran capacidad cognoscitiva.

Desarrollo del lenguaje

El bebé balbucea como intento para iniciar una interacción con las personas que lo rodean, emitiendo sonidos al escuchar la voz del adulto, una especie de "agu" que gusta vocalizar a solas. Hace pompas con saliva, lo que constituye uno de los intentos previos al lenguaje, pues coordina la respiración con la articulación de la lengua y los labios. Ríe fuerte y ampliamente.

Responde a sonidos humanos más detenidamente, vuelve la cabeza y los ojos parecen buscar el habla. A veces produce una risa ahogada. Se encuentra interesado en hacer nuevos sonidos e imitar los tonos.

Desarrollo visual

A partir de este mes el bebé comienza a formar la percepción de la profundidad. Observa detenidamente cómo abre y cierra sus manos. Puede enfocar a diferentes distancias. Su capacidad de acomodación se asemeja a la de un adulto y su visión es binocular.

Incrementa el desarrollo de su capacidad visomotriz, coordinando los movimientos de sus manos con los de sus ojos. La cabeza y los ojos se voltean simultáneamente siguiendo el movimiento de una persona u objeto. Se fija en el lugar donde ha caído algo que es de su interés.

Desarrollo auditivo

La capacidad auditiva del bebé está llegando a su desarrollo completo. Aumenta la coordinación oído-vista: ahora es más preciso cuando vuelve su cuerpo y sus ojos hacia la fuente del sonido.

El bebé reacciona a sonidos de alegría y de desagrado. Se tranquiliza con la música.

Desarrollo socio-afectivo

En este mes el bebé reconoce a su madre visual y auditivamente, y adopta frente a ella diferentes expresiones de acuerdo a si manifiesta alegría o enojo, vocalizando sus estados de ánimo. Mientras está entretenido con alguien ríe; si se le interrumpe juego, llora. Reacciona con miedo ante situaciones extrañas para él.

Se interesa por su imagen en el espejo: al verse, se emociona y respira agitadamente. Levanta sus brazos para saludar, se pone serio ante la vista de extraños: es decir, comienza a ajustarse a las respuestas de las personas.

Juega con sus manos, sobre todo con sus dedos. Trepa sobre la madre para explorar su persona y jugar con su cara. Deja de llorar, aun teniendo hambre ante la vista de la madre o de los alimentos. Comienza a tener uno o dos juguetes preferidos. Ahora sus posibilidades de juego se han ampliado enormemente, acompañadas de diversas emociones. Puede tener lapsos de juego de quince a veinte minutos.

Sus pequeñas vocalizaciones (sonidos acompañados eventualmente de los movimientos de la lengua), ya tienen un fin de socialización. Predice los intervalos entre la alimentación y los movimientos de su intestino. Puede dormir toda la noche con siestas durante el día.

Intervención general

En este mes el bebé habrá hecho grandes progresos a nivel del lenguaje, de la socialización y el área cognoscitiva. Sus respuestas a la intervención de la madre serán más activas y por lo tanto más gratificantes para ella.

El objetivo en este mes está dirigido a reforzar conductas que el bebé ha aprendido y que le producen resultados interesantes. Es la etapa llamada "de las reacciones circulares". Para este fin, estimula por ejemplo el golpeteo que el bebé le da a un móvil para que suene, o a una pelota para que se mueva.

Igualmente, está aprendiendo sobre las personas y las cosas que lo rodean. Ahora que ya sabe que es un ser separado y con fronteras definidas, necesita aprender cómo se relacionan con él las demás personas y objetos de su mundo, y cómo éstas, a su vez, se relacionan entre sí. La estimulación estará dirigida a mostrarle al bebé que los "otros" continúan" existiendo así él no los esté viendo. Esto incrementará su sentido de confianza en el mundo.

Por otro lado el bebé sabe para qué sirven sus manos, pero aún no sabe bien dónde terminan, ya que para él es la palma de su mana la que hace la función general de prensión. Para este fin debes llevar a cabo juegos que le permitan mayor control y conocimiento de sus dedos. Así, por ejemplo, déjale meter sus dedos en texturas blandas, amarra a sus dedos cintas, hilos de colores, bordea con su dedo estirado diferentes figuras.

Estimulación directa

En este mes debes iniciar los ejercicios de estimulación con una frecuencia de una a cinco veces máximo, cada vez que los realices. Encontrarás que algunos ejercicios tales como cantar, hablar, sonreír, acariciar, que no requieren una frecuencia exacta, sino que dependen de la disponibilidad, tanto del bebé como tuya. La periodicidad semanal la encontrarás al final de cada mes, en el cuadro denominado Programación Semanal de Estimulación.

Estimulación motriz

1. OBJETIVO: Fortalecer músculos de la cabeza, piernas y brazos.
a) Cuando el bebé esté boca abajo, agítale objetos de un lado a otro, de arriba a abajo para que eche la cabeza hacia atrás y los siga. (Figura 11).

2. OBJETIVO: Fortalecer los músculos de las manos y los brazos.
a) En posición boca arriba, tómalo de las manos y trata de levantarlo quince o veinte centímetros.

3. OBJETIVO: Fortalecer los músculos de las piernas
a) Si el bebé no alza las piernas espontáneamente, coloca una manta doblada tras su espalda y levántale las piernas cada vez más alto. (Figura 12).
b) Toma al bebé por el pecho en posición vertical. Bájalo hasta que la punta de sus pies toquen el piso. Haz cinco movimientos rápidos hacia adelante y cinco hacia atrás.
c) Carga al bebé. Hazlo caminar en puntillas, cinco pasos hacia atrás y cinco hacia adelante.

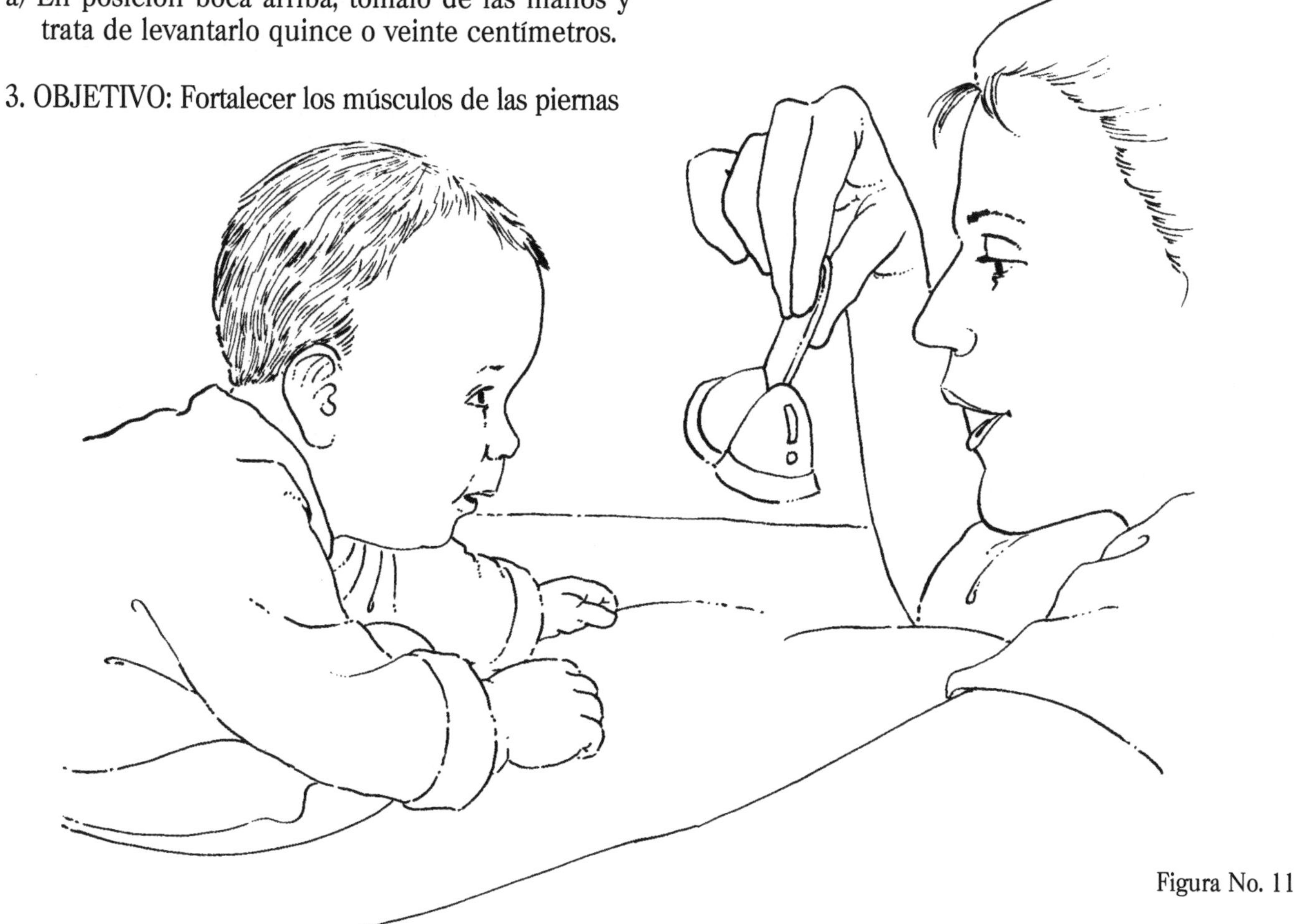

Figura No. 11

4. OBJETIVO: Fortalecer los músculos de la cadera.
a) Cuando esté boca arriba ayúdale a voltearse empujándolo por la cadera.

5. OBJETIVO: Fortalecer los músculos de la espalda y el tórax.
a) Cuando el bebé esté en posición boca-abajo, retírale a una corta distancia el objeto con el que está jugando y déjalo hacer un esfuerzo inclinándose hacia adelante y empujándose con los pies para alcanzarlo.

Estimulación cognoscitiva

1. OBJETIVO: Discriminar sonidos que actúan como señal.
a) Escóndete y haz tintinear un vaso. Cuando el bebé voltee hacia donde se produce el sonido, extiende tu mano con un juguete interesante para el bebé y muévelo. Haz esto mismo pero con otro sonido (tocar una puerta o el vidrio de la ventana), pero esta vez cuando el bebé voltee no le muestres nada que lo estimule. Repite estos ejercicios varias veces al día.

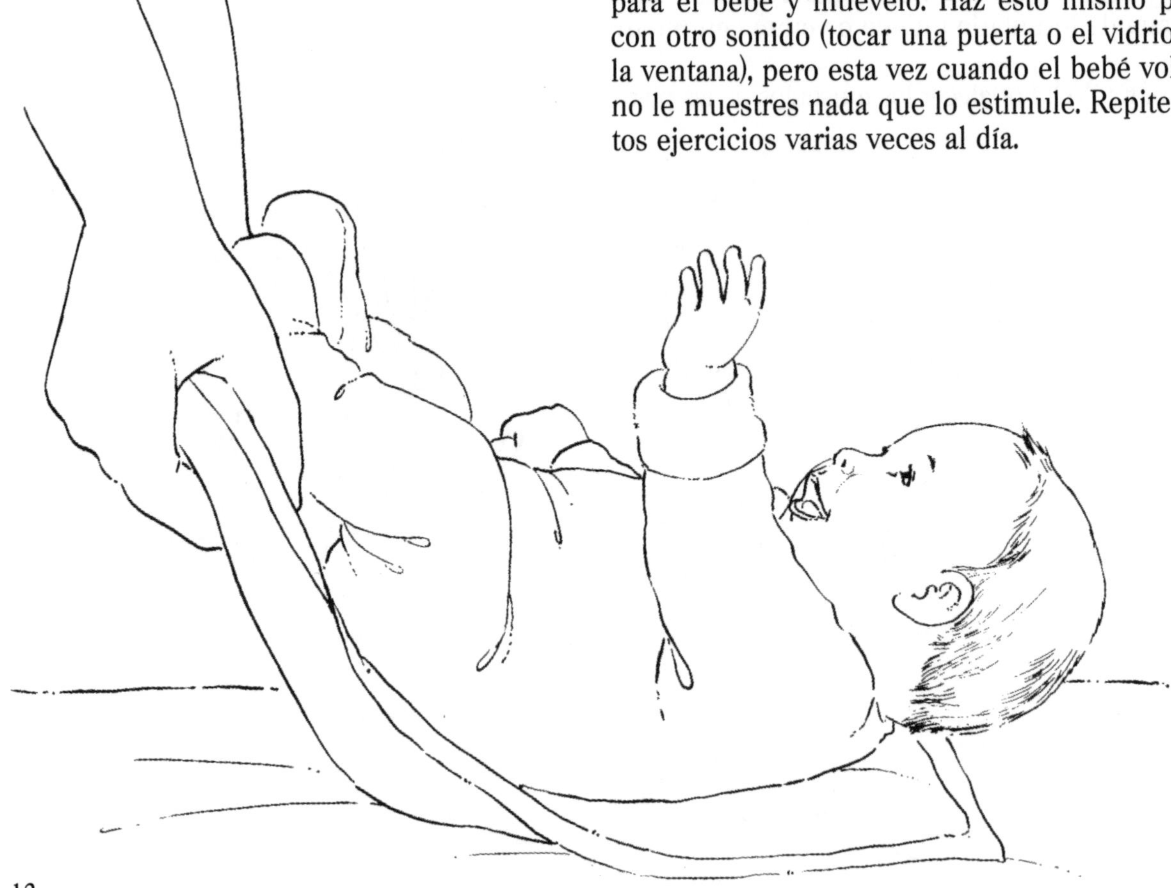

Figura No. 12

2. OBJETIVO: Reconocer y advertir estados de ánimo de las personas que le rodean.
a) Háblale con tono de voz cariñoso, severo, cansado, alegre, según la ocasión lo amerite.

3. OBJETIVO: Comprender la relación entre el espacio y los objetos.
a) Empieza a moverte hacia el bebé desde el otro extremo de la habitación y ve acercándote con un juguete en tu mana extendida hacia él. Eventualmente el bebé recibirá el objeto estirando su propia mano.
b) Muéstrale las prendas de vestir antes de ponértelas, las flores antes de olerlas, las joyas antes de usarlas. Háblale siempre acerca de lo que estás haciendo.

Estimulación del lenguaje

1. OBJETIVO: Familiarizar al bebé con las diferentes características del sonido: timbre, tono y movimiento.
a) Recítale al bebé versos pequeños, poco complicados y de ritmo marcado.
b) Haz que varios miembros de la familia entonen la misma canción.

2. OBJETIVO: Reforzar el aprendizaje por imitación.
a) Refuerza, repitiendo constantemente, cualquier sonido verbal que se asemeje al lenguaje español.
b) Háblale en tono de voz alta (agudo y grave) para que el bebé aprenda a emitir sonidos parecidos a los tuyos.

Estimulación visual

1. OBJETIVO: Seguimiento y fijación hacia un objetivo.
a) Ponle objetos que le parezcan llamativos (pelotas, carros, muñecos de felpa, etc.) seleccionándolos de tal forma que tengan colores brillantes y reluciente. Déjalos caer y llama su atención para que mire el lugar donde quedaron. Permítele que tome voluntariamente objetos que se encuentran en el mismo campo visual que su mano, para que de esta manera pueda mirar a ambos al mismo tiempo (mano y objeto).

2. OBJETIVO: Estimular la memoria visual.
a) Esconde bajo su cobija una punta de su juguete preferido. Pregúntale: "¿dónde está el gato?"; luego muéstraselo diciendo: "aquí está el gato". Hazlo de la misma manera cubriéndote los ojos con las manos. Dile: "aquí estoy" al descubrirte. Puedes hacerlo también tapándole los ajos al bebé. En la segunda semana podrás esconder una mayor parte del objeto, hasta hacerlo del todo temporalmente.
b) Háblale al bebé a medida que te vas alejando, sigue hablando aun cuando no te vea, aparece de nuevo y continúa hablándole. Verá que el sonido se mantiene aunque no esté presente quien lo emite. Además, percibe que a medida que la fuente se aleja, el volumen del sonido disminuye.

Estimulación olfativa

Continúa con los ejercicios para el tercer mes, incrementando el número de aromas y olores. La estimulación de este sentido ayuda al enriquecimiento del área cognoscitiva, ya que aprender a reconocer las cosas por sus olores y a anticipar sus acciones ante éstas.

Estimulación auditiva

1. OBJETIVO: Reforzar la búsqueda de la fuente del sonido.
   a) Cuando el bebé esté boca abajo, sacude un sonajero por detrás de la cabeza: intentará mirar hacia atrás en busca del sonido. Hazlo nuevamente pero hacia la derecha: tratará de hacer girar su cuerpo empujando con sus piernas y brazos. Repítelo sobre el lado izquierdo. (Figura 13).

2. OBJETIVO: Discriminar diversos sonidos.
   a) Dale, para que juegue libremente, objetos que emitan sonidos, como cascabeles, cajas de música, animales de cuerda, tarros llenos de piedras, etc.

3. OBJETIVO: Reconocer hechos y acciones diferentes.
   a) Coloca una grabación con canciones infantiles mientras estás haciendo algunas actividades con el bebé. Preferiblemente, la letra de la canción debe hacer alusión a la acción que se está realizando. Canta a la par con la canción. Hazlo por un tiempo corto.

Estimulación táctil

1. OBJETIVO: Desarrollar la Percepción de diferentes texturas.
   a) Acuesta al bebé en el piso con varios pedazos de telas de diferentes texturas. Deja que el bebé juegue libremente con ellas, las toque, las lleve a la boca, etc.
   b) Hazle caricias o masajes con objetos tales como espuma, plumas, esponjas, toallas, cintas.
   c) Ponlo a jugar en una bañera. Llénala unas veces con agua, otras con cereales, con cubos de espuma, arena, etc.

Estimulación socio-afectiva

1. OBJETIVO: Estimular el reconocimiento de sí mismo.
   a) Coloca al niño frente al espejo y dile: "Aquí está Andrés, ese es el bebé, éste eres tú". Hazlo diariamente.
   b) Haz que otras personas lo llamen por su nombre.

2. OBJETIVO: Utilizar el juego como elemento de socialización.
   a) Colócate frente al bebé y cúbrete la cara con una tela. Apenas el bebé murmure, destápate y deja que te vea, sonríele y contéstale su murmullo. Hazlo de nuevo después: pronto entenderá el principio del juego y comenzará a llamarte para que aparezcas.
   b) Provoca en el niño la risa a través de gestos, cosquillas y juegos vocales.

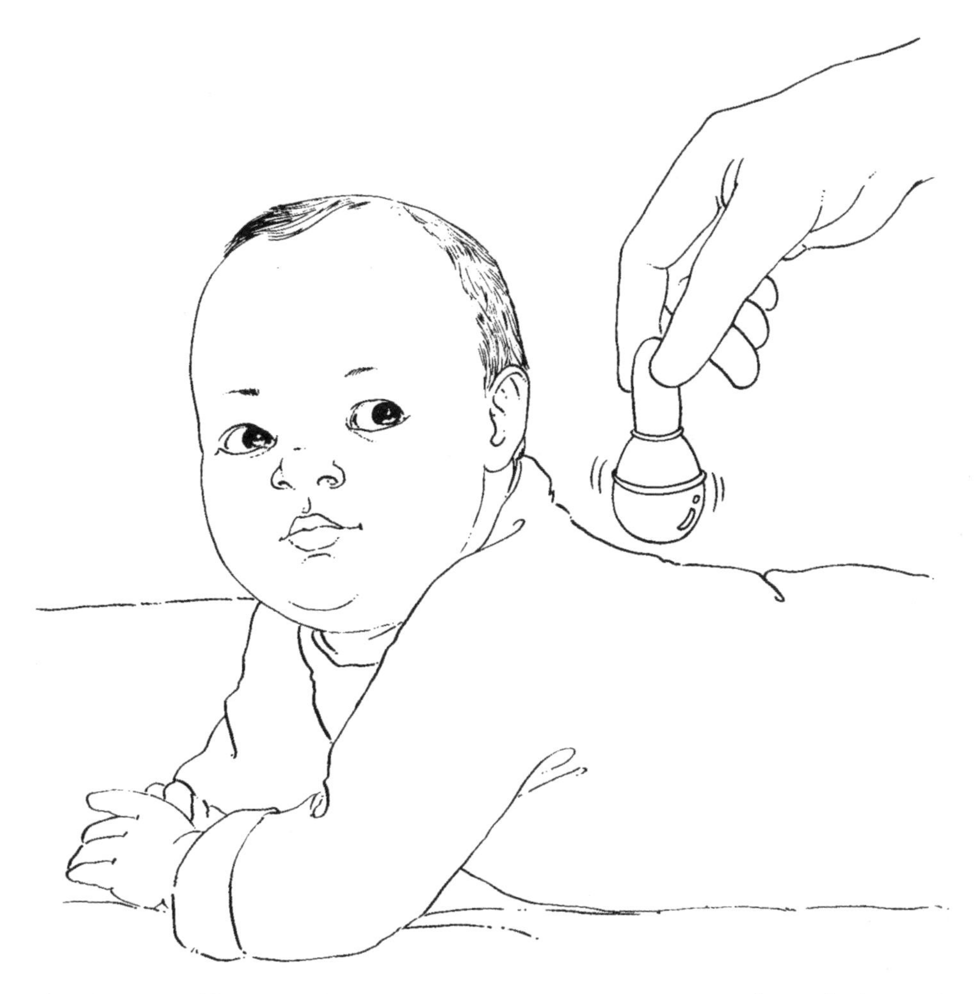

Figura No. 13

c) Haz algunos juegos sencillos de manos como palmoteo, fricción, golpeteo.

3. OBJETIVO: Iniciar establecimiento de hábitos.

a) Alimenticios. Muéstrale los alimentos en taza y cuchara antes de dárselos. Permite que juegue con la cuchara y el vaso. Ponlo junto a ti, en su mesa-comedor a la hora de las comidas en familia.

b) De higiene. Háblale sobre cada una de las actividades de aseo; por ejemplo, dile: "voy a bañarte para que estés limpio"; "tus manitos están sucias, vamos a lavarlas en el lavamanos"; "mira como mamá lava sus dientes".

•••••••••••••••

Programación Semanal de Estimulación
Cuarto mes

Días / *Áreas de estimulación*	*Lunes*	*Martes*	*Miércoles*	*Jueves*	*Viernes*	*Sábado*
Estimulación motriz	1a, 2a y 3b según la oportunidad	2a; 3b; 5a	1a; 3c	2a; 3b; 5a	2a; 3c	1a; 3b; 5a
Estimulación cognoscitiva	1a, 2a y 3b según la oportunidad	3a	1a; 3b	1a; 3a		1a
Estimulación visual	1a; 2a	1b; 2b	1a; 2a	1b	1a; 2b	1b; 2a
Estimulación auditiva	1a	2a	3a	2a	1a	3a
Estimulación táctil	1a; 1b	1b; 1c	1a; 1c	1a; 1b	1b; 1c	1a; 1b
Estimulación olfativa	Continuar ejercicios del mes pasado					
Estimulación del lenguaje	1a, 1b y 2a, según la oportunidad		2b		1a; 2b	1a
Estimulación socio-afectiva	1a; 3a; 3b; 1b y 3c, segun la oportunidad	2a;2b;3a;3b	1a; 2c; 3a	2a;3b;3c;1a	1a; 2b; 3a	2c; 3b; 1a

Resumen del Cuarto mes

Peso	*Medida*	*Desarrollo físico*	*Desarrollo sensorio motor*	*Desarrollo intelectual*	*Desarrollo social*	*Juguetes*
Niño 6.7 kg Niña 6.0 kg	64 cm 61 cm	Se tiende sobre el estomago con las piernas extendidas. Cuando está sobre su estómago, se balancea hacia los lados, hasta quedar sobre su espalda. Realiza movimientos "natatorios" y se mueve en la cuna. Voltea su cabeza en todas las direcciones cuando está recostado. Mantiene la cabeza "erecta" y firme por corto tiempo; cuando está sobre su estómago la levanta 90 grados. Si está de espaldas estirará su cuello hacia adelante para observarse sus pies y sus manos. Utiliza sus manos con mayor agilidad y variedad. Hay intervalos predecibles entre la comida y los movimientos del intestino. Duerme de diez a doce horas por la noche.	Cabeza y ojos giran coordinadamente; busca el origen del sonido y los objetos colgantes con movimiento. Ahora puede enfocar su vista a diferentes distancias. Su agitación o movimientos ante objetos se vuelve más precisa. Podrá agarrar objetos pequeños entre sus dedos índice y pulgar. "Hala" los objetos colgantes y se los lleva a la boca. Se queda mirando el lugar donde cae un objeto. Distingue y muestra interés en olores diferentes. Se interesa en producir nuevos sonidos e imita varios tonos. Se silencia con la música. Juega con inmenso disfrute en el baño. Levanta su cabeza cuando está en la tina.	Los periodos de respuesta pueden durar una hora o más. Tiene lapsos de memoria de cinco a siete segundos. Sonríe y vocaliza más a una persona que a una imagen. Discrimina entre las caras; conoce a su madre y a otros miembros de la familia. Probablemente se incomode con desconocidos. Se da cuenta de cualquier situación extraña. Es mayor el ajuste de sus respuestas ante la gente. Percibe la diferencia entre sus propios actos y el resultado externo de los mismos. Descubre la relación causa-efecto. Reconoce diferentes propiedades de los objetos.	Inicia la socialización, emitiendo sonidos, tosiendo o moviendo la lengua. Se sonríe más abiertamente. Se ríe como respuesta a una interacción y llora si su juego es interrumpido. "Vocaliza" sus estados de indecisión y protesta. Se interesa y puede sonreír al ver su imagen en el espejo. Responde y disfruta las caricias. Muestra interés por los juguetes, teniendo uno preferido. Interrumpe a veces su alimentación por el juego. Trata de calmarse él mismo. Las rutinas de comida y sueño están más establecidas. Responde y reconoce los estados de ánimo de su madre.	Juguetes que se apilen. Juguetes para encajar. Dibujos sencillos en blanco y negro. Juguetes de caucho fáciles de manejar. Sarta de cuentas apretadas a presión.

Registro de Evaluación Mensual

Semanas / *Áreas de desarrollo y estimulación*	*Primera*	*Segunda*	*Tercera*	*Cuarta*
Desarrollo y estimulación motriz				
Desarrollo y estimulación cognoscitiva				
Desarrollo y estimulación auditiva				
Desarrollo y estimulación del lenguaje				
Desarrollo y estimulación socio-afectiva				
Desarrollo y estimulación quinestésica				

Anotaciones para el próximo mes:

Quinto Mes

Introducción

En este mes el bebé tiene mayor dominio sobre su cuerpo, puede girar su cabeza de izquierda a derecha y detenerse en cualquier punto intermedio por largos períodos de tiempo. Puede pasar de estar acostado a hacer intentos para sentarse. Aun no puede desplazarse de un lado a otro. Al ejercer presión sobre sus pies estira fuertemente sus piernas.

El comportamiento mano-ojo es ahora más complejo y armónico. Demuestra mayor interés por el objeto en sí mismo, su interés en explorar es bastante pronunciado.

Comienza a involucrar a otras personas en sus juegos. Es el inicio del juego participativo, que establece especialmente con la madre. Es importante que le prestes la atención debida cuando el bebé lo solicite, así le ayudarás a desarrollar una autoconfianza superior y un grado de independencia más alto. Aún el bebé no es consciente de su capacidad para manipular a los adultos.

Características de desarrollo

Desarrollo motor

En este mes el bebé levanta la cabeza hasta que el plano de la cara queda casi recto. Cuando está boca abajo, con esfuerzo se pone de espalda sin ayuda, y se apoya sobre su vientre para alcanzar un objeto; puede levantar la cabeza, arquear la espalda como jugando al avión. Si se hala por las manos se levanta.

Flexiona lo bastante los brazos para que al agarrarse de algo pueda casi sentarse. Puede moverse, mecerse, dando botes y volteándose. Boca arriba, patea contra una superficie plana ayudándose a echar para atrás.

Quiere tocar, sostener, voltear, agitar, saborear y llevarse a la boca todos los objetos.

Desarrollo cognoscitivo

En este mes la inteligencia definida como la capacidad para resolver problemas aún no es muy evidente, pero el bebé va tomando cada día más conciencia de sí mismo, juega con sus miembros inferiores, comienza tocándose las rodillas, después levanta las piernas sujetándolas con la mano, las palpa y se mete el pie a la boca, ya que ésta es un órgano de cognición (capacidad para conocer los objetos) tan importante como la vista o el oído.

Utiliza su cuerpo lo mismo que su inteligencia para alcanzar lo que quiere; se arrastra o estira el brazo para agarrar algo, patalea o golpea cuando quiere llamar la atención. Se recuesta para buscar objetos que se han caído.

Vuelve la cabeza y la vista buscando la fuente de un sonido. Recuerda sus propias acciones de un pasado inmediato. Posee un modelo mental para el rostro humano.

Mira a su alrededor cuando se encuentra en situaciones nuevas, en actitud de inspección del lugar u objetos que le resulten desconocidos. Deja caer objetos para observar su caída y estudiarla con detenimiento. Le gusta golpear cosas contra diferentes superficies.

Desarrollo del lenguaje

Emite los sonidos de las vocales y muchos consonánticos como *d, b, l, m*, que une diciendo, “pa”, “ma”.

Crea una variedad de sonidos indicando un estado de ánimo. Repite sus propios sonidos. Su llanto es intencionado. Imita sonidos y movimientos deliberadamente.

Desarrollo visual

Al final de este mes se interesa por cosas que están a más de un metro de distancia, mira a través de

Figura No. 14

la habitación y observa el panorama desde la ventana. Busca visualmente las cosas que se mueven rápido. A medida que pasa más tiempo en posición vertical, aumenta su campo visual.

Desarrollo socio-afectivo

En este momento el bebé puede expresar sentimientos de temor e ira. Sonríe a las caras humanas. Deja de llorar cuando se le habla. Incrementa su interacción y juega con otras personas. Se resiste a que le quiten el juguete. Experimenta gran alegría al realizar todos los movimientos de los que es capaz.

Esconde su cabeza en el regazo de la madre; reconoce voces y sonidos al escucharlos.

El bebé responde a lo confortable o incómodo, busca ser cargado o arrullado; expresa agrado ante situaciones gratas, o viceversa. Acaricia su tetero cuando se alimenta. Se ríe a carcajadas, respondiendo al juego de los adultos. La cordialidad, presente en el mes anterior, continúa.

Intervención general

En este mes la estimulación se dirige a fortalecer el control y el poder que el bebé ha adquirido sobre el medio que lo rodea (juguetes, papás). Ahora puede llevar objetos donde quiera. Consideramos importante influir sobre su resultado. Sus expresiones emocionales -el llanto o la risa- provocan la atención y mimos de los adultos, y es capaz de mantener una situación de juego.

Para permitir al bebé desarrollar plenamente las potencialidades obtenidas este mes, estimula el juego libre, no programado (pero vigilado) que le despierta la curiosidad y el sentido de pertenencia.

Utiliza juguetes que proporcionen refuerzo (recompensa) inmediata, como sonidos o movimientos.

Por otra parte es muy importante que seas consistente con las respuestas dadas a las diferentes actividades del bebé. Si éste dice "te-te", repite siempre "TETERO": así aprende que una respuesta suya produce en los demás una específica, además que le crea sentido de confiabilidad y le ayuda a formar los hábitos a través del empleo de elementos ordenados, predecibles y constantes, en una palabra: RUTINAS.

Estimulación directa

En este mes debes iniciar los ejercicios de estimulación con una frecuencia de una a seis veces máximo, cada vez que los realices.

Estimulación motriz

1. OBJETIVO: Fortalecer músculos del estomago.

a) Flexiona las piernas del bebé provocando tensión, suéltalas y estira completamente sus piernas. Hazlo nuevamente. (Figura 14).

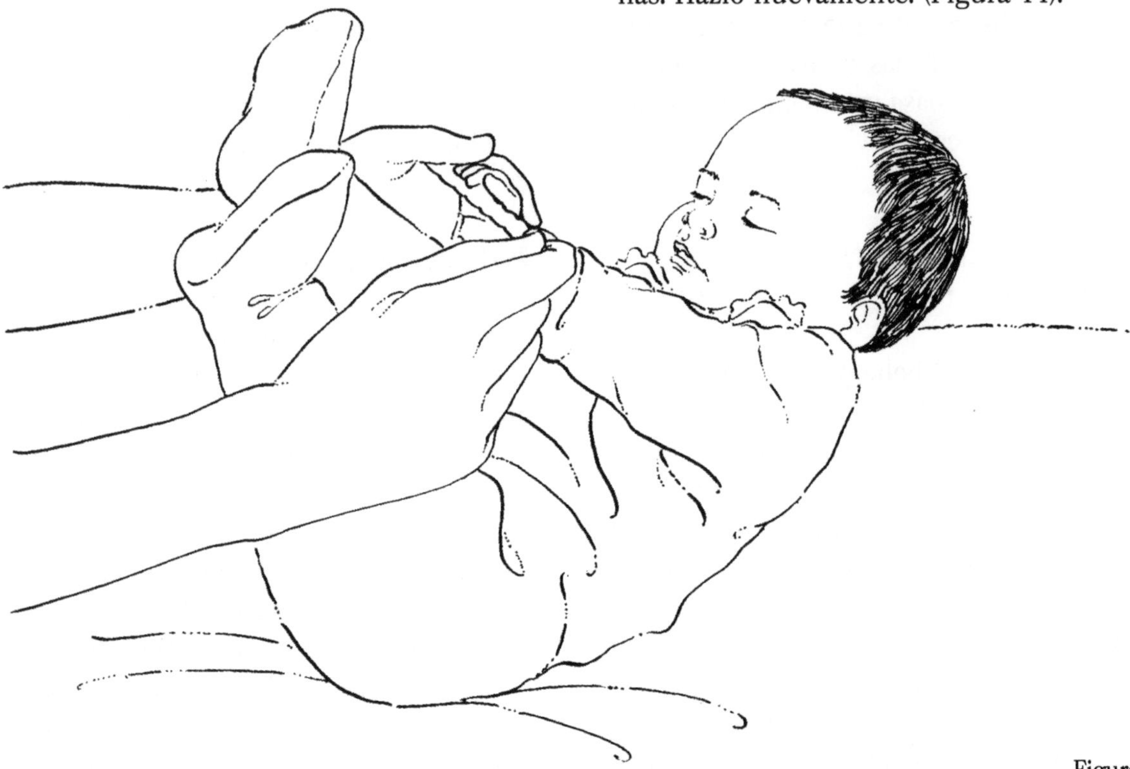

Figura No. 15

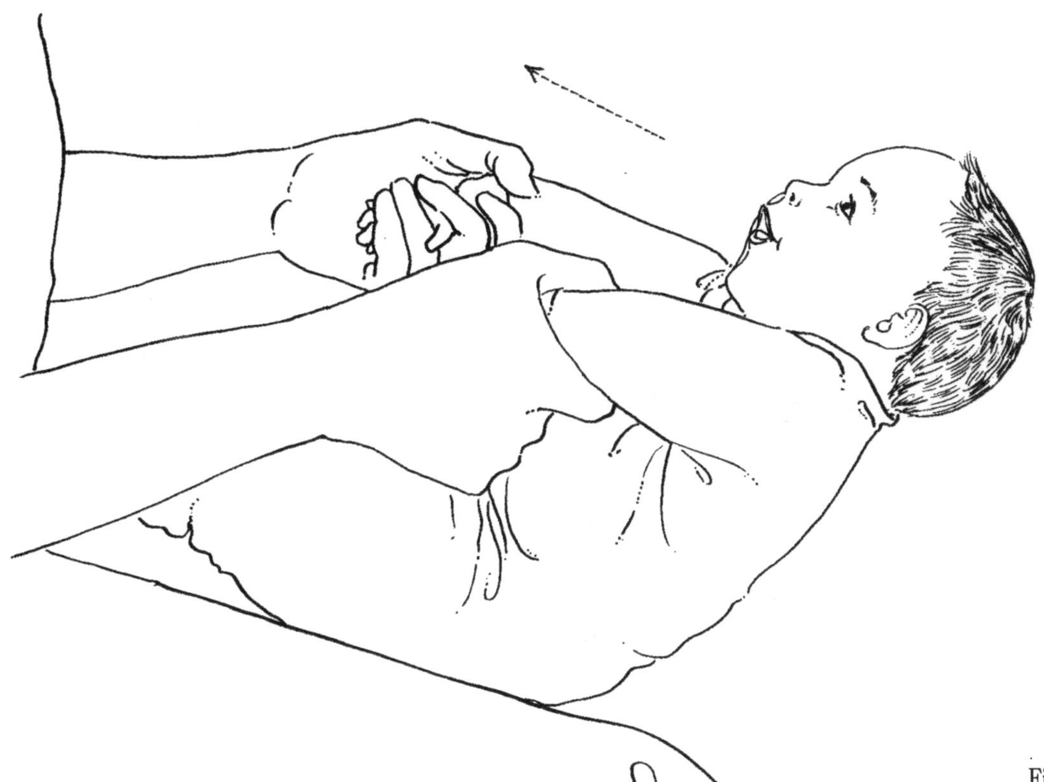

Figura No. 16

b) Pon al bebé abajo y coloca frente a él un objeto de interés; estimúlalo para que lo alcance.

2. OBJETIVO: Fortalecer músculos de la espalda y de la nuca.

a) Da al bebé una barra o palo liviano para que se prenda de él y cuando este acostado hálalo hasta que se ponga de pie; protégelo con una mano en caso de que se suelte. Puedes hacerlo también tomándolo directamente de sus manos. (Figura 15).

3. OBJETIVO: Fortalecer la tonicidad muscular.

a) Acostado boca abajo, sujétalo por las piernas y estimúlalo para que alcance un juguete. Así al intentar el objeto, estirará todo su cuerpo. Deja que juegue libremente una vez lo haya alcanzado.

4. OBJETIVO: Fortalecer los músculos de las piernas.

a) Pon al bebé sobre tus piernas y haz que intente pararse empujando sus pies contra tu abdomen. Hazlo varias veces, cantando alguna canción alusiva al movimiento. (Figura 16).

b) Cuélgale objetos móviles (un móvil que gira, un sonajero, una cuerda con bolitas, etc.) y de colores brillantes en su cuna, al alcance de sus pies, para que pueda patearlos y moverlos.

Estimulación cognoscitiva

1. OBJETIVO: Reforzar el conocimiento que sobre su entorno tiene el bebé.
a) Déjalo desnudo de tal manera que pueda agarrarse los pies, las manos, llevarlas a la boca, explorarlas, observarlas.
b) Cárgalo mirando hacia al frente para que su campo visual y de conocimiento de los objetos se amplíe.

2. OBJETIVO: Estimular la imitación de acciones que llevan a cabo.
a) Mueve la cabeza delante del bebé, tratando que imite el movimiento, luego ve diciendo alternativamente: *SI-NO-SI-NO.*
b) Frente al bebé haz el movimiento de juntar y separar las manos. Hazlo primero lentamente para llevar al niño a que lo imite. Puedes hacerlo también cerrando y abriendo las manos sobre los objetos.

Estimulación del lenguaje

1. OBJETIVO: Provocar la emisión de sonidos.
a) Tápate la cara con una hoja de papel y dile: "si quieres verme háblame"; destápate ante cualquier sonido que emita de manera articulada. Hazlo varias veces.
b) Anímalo con diferentes estímulos, como la presencia de su juguete preferido, o de otro bebé, "mira qué lindo el bebé de Claudia", "observa cómo se mueve el payaso" para que exprese su alegría a través de gritos y sonrisas.
c) Establece diálogos, frecuentemente, a propósito de cualquier actividad: el baño, la comida, la llegada de una persona familiar.

2. OBJETIVO: Incrementar la imitación de sonidos.
a) Sigue repitiendo todos los sonidos que el bebé emita.

Estimulación visual

1. OBJETIVO: Reconocer la relación causa-efecto.
a) Permítele que alcance juguetes de diferentes formas y colores. Anímalo a que los deje caer, así como a recogerlos. Simultáneamente, di en voz alta: "se cayó el perro", "recoge el perro", "se cayó la pelota", "recojamos la pelota", etc.
b) Muéstrale como se mueven ciertos juguetes, - por ejemplo el perro de cuerda, el carrito eléctrico- y deja que él lo intente solo.
c) Coloca sobre una cobija su juguete preferido: muéstrale como halando la cobija puede alcanzarlo. Refuerza cualquier intento de hacerlo.
d) Mueve el bebé hacia arriba, hacia abajo, hacia los lados, para que observe un objeto determinado.

Estimulación auditiva

1. OBJETIVO: Localizar la fuente del sonido.
a) Sin que te vea, llámalo por su nombre. Cuando voltee a mirar y te localice, dile: "sí, aquí estoy, me encontraste".

2. OBJETIVO: Estimular el aprendizaje de sonidos que actúan como señales.
a) Haz sonar una campana simultáneamente con la aparición de un juguete. De la misma manera hazlo con otro sonido cuando desaparezca. Aprenderá a asociar cada sonido a la aparición o desaparición de un objeto.
b) Enciende y apaga la radio. Permite que él lo intente; prémialo si logra hacerlo.

3. OBJETIVO: Discriminar tono, timbre y ritmo de los sonidos.
a) Cántale canciones y muévelo al son de una manera rítmica, enfatiza subidas y bajadas de la voz, imita algunas voces dentro de la canción como por ejemplo la voz de un gato, el canto de las aves.

4. OBJETIVO: Estimular la imitación de sonidos.
a) Pon un objeto sonoro en la mano del bebé (un cascabel, una caja con piedras), muévelo varias veces para producir el sonido, luego golpéalo contra la superficie. Deja que el bebé intente imitarlo.

Estimulación táctil

1. OBJETIVO: Incrementar el control que el bebé ha adquirido sobre su entorno.
a) Permite que toque con sus manos tu cara, tu pelo, y al mismo tiempo ve nombrando cada una de las partes que el bebé vaya tocando.
b) Pon cerca del bebé objetos con diferentes texturas y formas, como por ejemplo, juguetes de tela, de caucho, de pasta, etc., para que los explore y ensaye movimientos suaves y vigorosos.
c) Dale objetos grandes (un oso de peluche, una pelota, un cojín, etc.) para que los tome con ambas manos.

2. OBJETIVO: Sensibilizar al bebé con elementos de su mundo.
a) Enseña al bebé a disfrutar de algunos contactos, por ejemplo, tocar una flor, amasar la plastilina, acariciar el rostro de la mamá o el papá, etc.

Estimulación socio-afectiva

1. OBJETIVO: Proporcionar elementos de Socialización.
a) Acostumbra al bebé a que este con otras personas, a que jueguen con él, no de manera pasiva sino en actividades a través de las cuales el bebé participe permanentemente.
b) Llévalo a conocer lugares diferentes y háblale acerca de las cosas que ve, de las acciones que las personas realizan, y de situaciones u objetos que le son familiares en ese lugar.
c) Mírate con él en el espejo y pídele que te señale a ti y después a él mismo. Refuerza los aciertos.
d) Llámalo a distancia por su nombre.

Programación Semanal de Estimulación
Quinto mes

Días / *Áreas de estimulación*	*Lunes*	*Martes*	*Miércoles*	*Jueves*	*Viernes*	*Sábado*
Estimulación motriz	1a; 2a	1b; 3a	2a; 4a	1a; 4b	3a	1b; 4b
Estimulación cognoscitiva	1a; 2a	1b; 2b	1b; 2a	1a; 2b	1b; 2a	1a; 2b
Estimulación visual	1a; 1c	1b; 1d	1a; 1c	1b; 1d	1a; 1c	1b; 1d
Estimulación auditiva	1a; 2a	2b; 3a; 4a	1a; 2a	2b; 3a; 4a	1a; 4a	2a; 3a
Estimulación táctil	1a	1b	1c	2a	1a	1b
Estimulación olfativa						
Estimulación del lenguaje	1a	1b	1c	2a	1a	2a
Estimulación socio-afectiva	1a según la oportunidad	1b	1c	1d	1c	1b

Resumen del Quinto mes

Peso	*Medida*	*Desarrollo físico*	*Desarrollo sensorio motor*	*Desarrollo intelectual*	*Desarrollo social*	*Juguetes*
Niño 7.4 kg Niña 6.6 kg	67 cm 63 cm	Se balancea como un avión con los brazos extendidos y la espalda arqueada; se empuja sobre las manos y levanta las rodillas. Sobre la espalda levanta la cabeza y hombros correctamente. Se lleva los pies a la boca y se chupa los dedos. Se da vuelta para quedar sobre la espalda. Se desplaza balanceándose, meciéndose o girando; sobre la espalda lo hace pateando sobre una superficie plana. Cuando se le sienta, la cabeza está firmemente balanceada y la mantiene constantemente erguida. Quiere tocar, agarrar, voltear y sacudir objetos. Lo mismo que saborearlos. Puede sostener el biberón con una o dos manos.	Agarra más firmemente; levanta su mano cuando hay un objeto próximo a éste. Observa entre su mano y el objeto; gradualmente va cerrando la "brecha" y lo agarra firmemente. Alcanza el objeto tanto con una como con las dos manos. Alcanza logros como el de agarrarse de un anillo grande. Juega con el sonajero que se le coloca en ambas manos. Imita sonidos y movimientos deliberadamente.	Permanece alerta durante casi dos horas continuas. Mira alrededor en situaciones nuevas; voltea su cabeza voluntariamente hacia un sonido o para seguir un objeto que desaparece. Busca visualmente objetos que se mueven con rapidez. Se inclina para mirar un objeto que se ha caído. Reconoce objetos familiares. Recuerda sus propias acciones en el pasado inmediato. Tiene un modelo mental del rostro humano. Conoce a sus padres y hermanos mayores; puede molestarse con extraños. Sus vocalizaciones toman inflexiones y entonaciones de voces de adultos. Emite sonidos vocálicos y consonánticos (*d, b, l, m*).	Responde a los sonidos humanos definitivamente; voltea la cabeza: parece buscar la persona que habla. Sonríe y vocaliza para establecer contacto con la gente y ganar su atención. Interrumpe las conversaciones a su alrededor, "vocalizando". Deja de llorar cuando le hablan. Hace caras imitando. Manifiesta sus protestas; resiste al adulto que trata de quitarle un juguete. Discrimina. Es capaz de identificarse él mismo y a su mamá en un espejo.	Juguetes que hagan ruido al moverlos. Juguetes que al tacto tenga diferentes texturas. Juguetes que emitan sonidos al apretarlos. Entretenedores para los dientes. Objetos tridimensionales brillantes. Figuras de coordinación: triángulos, rectángulos.

Registro de Evaluación Mensual

Semanas / *Áreas de desarrollo y estimulación*	*Primera*	*Segunda*	*Tercera*	*Cuarta*
Desarrollo y estimulación motriz				
Desarrollo y estimulación cognoscitiva				
Desarrollo y estimulación auditiva				
Desarrollo y estimulación del lenguaje				
Desarrollo y estimulación socio-afectiva				
Desarrollo y estimulación quinestésica				

Anotaciones para el próximo mes:

____

____

____

____

____

____

____

Sexto Mes

Introducción

El sexto mes es uno de los periodos más emocionante en el proceso evolutivo del primer año. El estado de ánimo del bebé es en general cordial, excepto cuando los fracasos propios del aprendizaje le alteran su tranquilidad. Expresa cada vez mejor lo que siente: se estremece de alegría cuando ve algo que realmente le agrada, estira los brazos para que lo carguen, si se enoja o se desilusiona lo dejará saber por la expresión de su cara o los gritos.

El bebé se especializa en un área determinada de desarrollo. Algunos se esforzarán por levantarse, otros dedicarán largos ratos a examinar algún objeto que sea de su interés; para otro los juegos de sonidos producidos por él mismo le mantendrán embelesado; al pasar unas semanas todos los bebes habrán adquirido todas estas habilidades juntas, por lo que no debe ser motivo de preocupación si al comparar el desarrollo de tu bebé aún algunas características no se hacen presentes.

Aunque aún no está listo para gatear, su espíritu curioso lo llevará a esforzarse para desplazarse. Ya puede voltearse fácilmente de un lado a otro, actividad que repite gustosamente varias veces al día. Sus brazos tienen gran fortaleza y sus piernas la irán adquiriendo, a través del movimiento constante. El momento de cambiarlo es una situación especialmente aprovechada por el bebé para poner en práctica estos ejercicios. Debe usar ropa liviana que le permita desarrollar al máximo sus nuevas habilidades motrices.

Al final del mes será capaz de sentarse con ayuda. Si todavía no puede mantener el equilibrio, será señal de que aún no está preparado para hacerlo. En cuanto a la motricidad fina (conjunto de movimientos más delicados de los dedos), los movimientos comenzarán a ser deliberados, planeados y coordinados. Disfruta inmensamente tratando de tomar objetos pequeños, aunque casi sin éxito ya que abre toda su mano para hacerlo.

Su visión del mundo se ha ampliado y variado enormemente debido a sus nuevas posiciones.

Sus hábitos de sueño son muy regulares, aunque la aparición de los dientes y las frustraciones de sus nuevos aprendizajes podrían perturbarle un poco sus horarios de dormir; cuando esto ocurra, trata de tranquilizarlo pero sin exceso, ya que el bebé aprenderá rápidamente que debe hacer para ser atendido y contemplado por la madre.

Es capaz de manipular la comida, actividad que e fascina y que debes permitir, aceptando que se embadurne utilizando sus manos para tomar la comida, ya que de esta manera está descubriendo nuevas sensaciones.

Características de desarrollo

Desarrollo motor

Puede llegar a sentarse firmemente con apoyo. Por un breve lapso se dobla hacia adelante, usando las manos para sostenerse. Voltea la cabeza libremente para todos lados.

Es capaz también de soportar el peso cuando se le pone de pie; da saltos sin mover los pies del suelo, pero no puede saltar a voluntad. Cuando está acostado levanta la cabeza espontáneamente. Se voltea en todas las direcciones ágilmente. Puede cambiar de posición boca arriba a boca abajo, ya que su columna vertebral está más fuerte.

Algunos bebes aprenden a gatear. El bebé logra doblar ambas rodillas inclinando la cabeza hacia abajo y levantando las nalgas. De lo contrario se impulsará arrastrándose, con los pies sobre el estómago dirigiéndose con los brazos; esto lo hace hacia adelante y hacia atrás.

Toma los objetos con las dos manos, utilizando la palma. Sostiene un juguete en cada mano, toma uno, luego el segundo y mira el tercero, observando su posición y distancia, aunque aún no puede alcanzarlo. Toma los que están colgantes. Aquí se inicia el traspaso intencionado de un objeto hacia la otra mano, pero se le caerá continuamente; le será más fácil agarrar objetos grandes que pequeños.

Inicia el palmoteo. Va desapareciendo el reflejo de prensión (de agarre), aunque éste puede persistir hasta más tarde, permitiéndole un mejor conocimiento del objeto ya que lo voltea, lo agarra de diferentes maneras y modifica su forma.

Desarrollo cognoscitivo

A esta edad el bebé ha desarrollado el cincuenta por ciento de su capacidad cerebral. Diferentes actividades muestran esta capacidad: vuelve la cabeza y la vista buscando objetos desaparecidos y la fuente de un sonido; cuando los encuentra los alcanza rápidamente y sin dudar. La anterior acción es el comienzo de la noción de permanencia del objeto, o sea la capacidad para que la imagen de un objeto permanezca en su mente, aunque éste no se encuentre presente físicamente.

Sus movimientos son voluntarios. Toma y manipula lo que ve a su alrededor, mira los objetos de arriba a abajo y les crea cambios de perspectiva. Puede igualmente comparar uno con otro.

Descubre que un medio utilizado con éxito puede cumplir su objetivo varias veces. Por esto repite varias veces una acción.

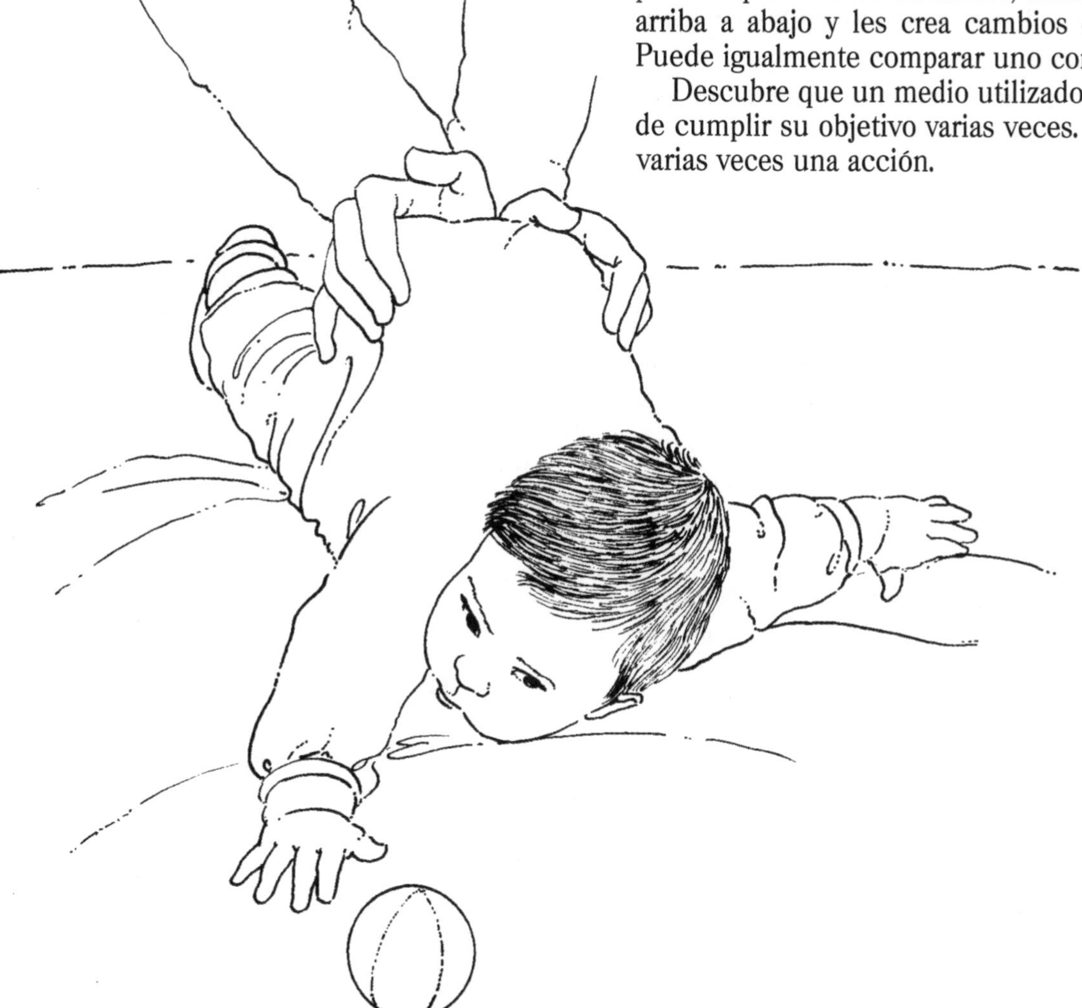

Figura No. 17

Puede imitar ruidos con objetos. Si se le entrega un objeto sonoro, demuestra cómo obtener ruido.

Comienza a aparecer el conjunto de movimientos adaptativos anticipatorios, es decir que el bebé acomoda sus movimientos, los de sus manos y en general los de todo su cuerpo, a la posición y tamaño de los objetos que están a su alcance. Esta nueva habilidad indica no sólo el desarrollo de los conceptos de espacio y forma, sino también el de la inteligencia general.

Estará en capacidad, al arribar a este mes, de detener la acción cuando se le dice "no".

Desarrollo del lenguaje

El bebé cambia su llanto por chillidos. Presta atención a los tonos inflexivos de la voz. Aumenta la expresión monosilábica siendo comunes: *ma, mu, da, de.* Hace vocalizaciones ininteligibles espontáneas. Varía el volumen, el tono y secuencia del sonido.

Hacia el final del mes, reaccionará específicamente a ciertas palabras; igualmente, estará en capacidad de pronunciar todas las vocales.

Desarrollo visual

En este mes el bebé posee una buena coordinación visual. Su visión es muy semejante a la de un adulto.

Desarrollo gustativo

Desarrolla preferencias por sabores más fuertes.

Desarrollo socio-afectivo

El bebé sonríe y palmotea al ver a otros niños. Voltea la cabeza al escuchar su nombre. Trata de imitar la expresión facial. Juega y reconoce el biberón. Identifica personas conocidas y sonríe cuando éstas aparecen y desaparecen. Se abraza y llora cuando siente temor ante un extraño.

Igualmente muestra mayor ansiedad cuando está ante una situación desconocida sin sus padres. Se presentan sensaciones de desagrado. Extendidas y especificadas, producen conductas como: no come ante cualquiera, prefiere un juguete a otro, distingue un amigo de un extraño.

Continúa el gusto por el juego con la comida y demuestra algún interés por alimentarse él mismo con sus dedos.

Intervención general

Al llegar al sexto mes la estimulación orienta su objetivo a. desarrollar plenamente su curiosidad. Está descubriendo el mundo que ahora le es más amplio y atractivo, ya que puede ejercer control sobre él. Toma sus juguetes y elige el que es de su preferencia, llama a su madre, pide ser cargado, reclama sus alimentos, en fin: está en constante y activa interacción con todo lo que lo rodea.

Aliéntalo entonces a la exploración no programada, a nuevos descubrimientos que pueden tener lugar en diferentes actividades como, por ejemplo, acompañarte al mercado, visitar a alguien conocido, ir de compras.

Anímalo a realizar juegos abstractos, nombrándole objetos de la casa o de fuera; por ejemplo dile: "el teléfono hace rin-rin", "el carro hace run run", etc.

Nómbrale constantemente objetos y lugares familiares como la cobija, la cuna, el comedor, la cocina, la ventana, la puerta.

Se prepara igualmente el bebé para entrar en el período donde la motricidad (conjunto de movimientos de todo su cuerpo) juega un papel de vital importancia, ya que en los próximos seis meses aprenderá a desplazarse, dominando su propia movilidad comenzará por el gateo, luego caminará prendido y por último será tan independiente que aprovechando su habilidad para la locomoción, intentará con éxito salir corriendo.

Uno de los mayores logros en este mes es sentarse; será necesario entonces que le ofrezcas todas oportunidades posibles para que fortalezca sus músculos de abdomen y espalda, utilice miembros superiores e inferiores, ensaye posturas de equilibrio y armonice sus movimientos.

Estimulación directa

En este, mes debes iniciar los ejercicios de estimulación con una frecuencia de una a siete veces máximo, cada vez que los realices. Habrá algunos ejercicios tales como cantar, hablar, sonreír, acariciar, que no requieren una frecuencia exacta, sino que dependen de la disponibilidad, tanto del bebé como tuya. La periodicidad semanal la encontrarás al final de cada mes, en el cuadro denominado Programación Semanal de Estimulación.

Estimulación motriz

1. OBJETIVO: Preparar para el gateo.

a) Cuando el bebé este en posición boca abajo, sobre la alfombra, la cama, en una manta sobre el suelo, etc., empújalo por las nalgas hacia un objeto que sea de su interés, hasta que con sus manos pueda tocarlo. (Figura No. 17).

b) Pon el bebé de rodillas apoyado sobre sus brazos, empújale suavemente las plantas de los pies para ayudarle a deslizarse hacia adelante.

c) Cuando el bebé esté boca abajo, ponle delante de su ángulo visual un juguete por el cual sienta especial predilección. A medida que el intente alcanzarlo, ve retirándolo sin que llegue a perder el interés.

d) Boca abajo, eleva sus piernas para intentar que haga la carretilla. (Figura No. 18).

e) Balancéalo sobre un rodillo (puede ser una toalla o una manta enrollada) de tal manera que sus brazos y piernas estén apoyados sobre el piso e intente desplazarse.

f) Boca abajo, muéstrale un juguete a quince centímetros sobre él, con el fin, de que intente alcanzarlo con una mano, mientras con la otra se apoya y se impulsa.

g) Estimúlalo para que avance a través de órdenes

simples. Por ejemplo "ven hasta donde está la mamá, toma el oso".

2. OBJETIVO: Estimular la posición de sentado.

a) Pon el bebé acostado boca arriba y haz que se agarre de un aro o barra; mientras le tienes los pies, levanta el aro dos o tres centímetros, y anímalo para que continúe levantándose, hasta lograr sentarse; bájalo suavemente. En la misma posición, deja que tire del aro para que ejerza fuerza y se balancee hasta que lo suelte. Repite varias veces este ejercicio cantándole una canción alusiva al movimiento.

b) Acuesta al niño boca arriba sobre tus piernas, de manera que las suyas se apoyen sobre tu estómago, tómalo por los dedos y reclínate lentamente, alza bien alto las piernas y balancéate.

c) Colócalo acostado en el piso, formándole un desnivel a lo largo y ancho del cuerpo (una manta doblada de tal forma que el bebé quede más inclinado hacia uno de los lados, bien sea derecho o izquierdo). De esta manera se verá obligado a voltearse de la posición boca abajo a la posición boca arriba.

d) Cuando esté sentado, con o sin apoyo, balancéalo lateralmente bien sea tomado de tus manos o de una barra. Esto afirmará su equilibrio. Haz el mismo juego hacia atrás y hacia adelante. Si presionas suavemente su espalda, estimularás la resistencia ofrecida por los brazos y fortalecerá las piernas. (Figura No. 19).

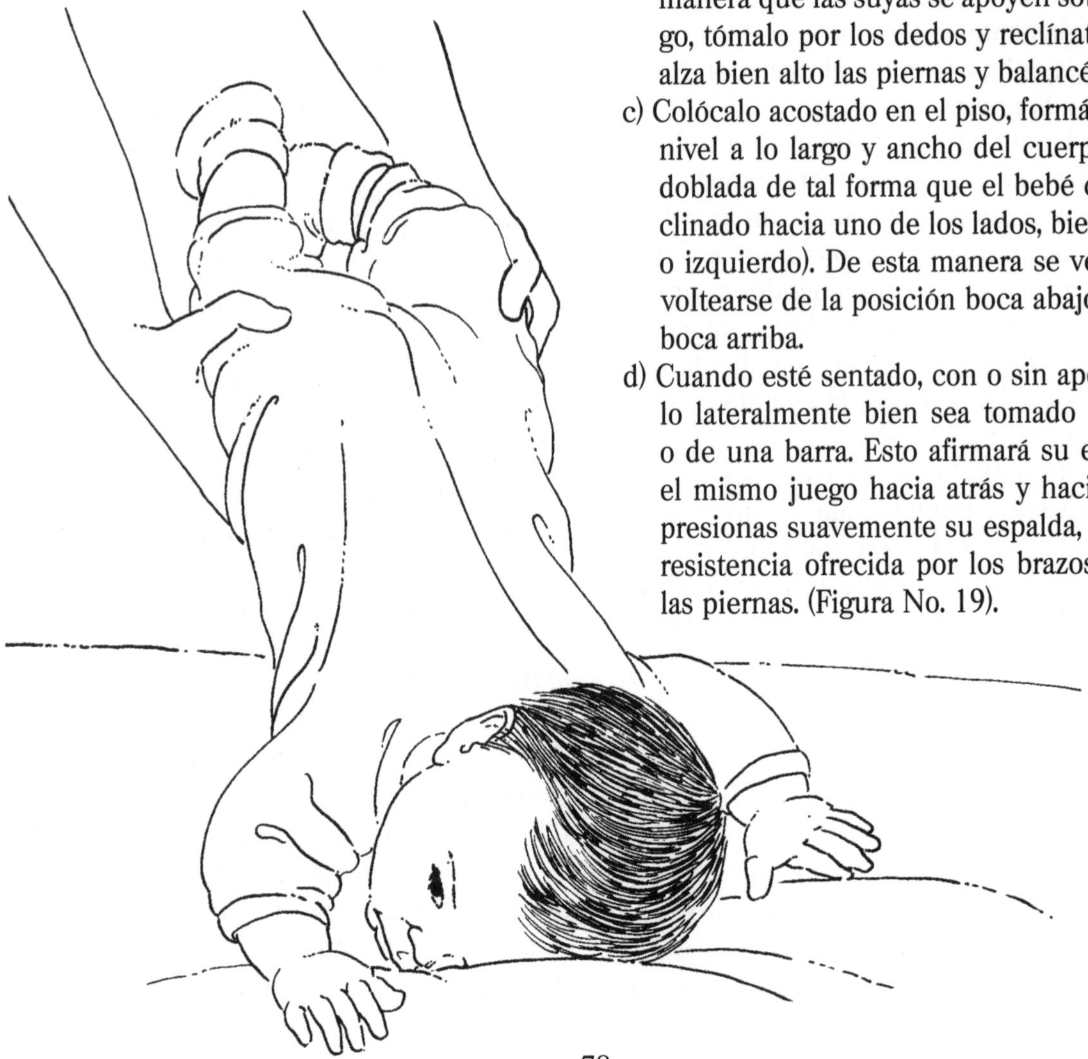

Figura No. 18

e) Ponlo sobre unas almohadas o cojines de tal manera que quede sentado en posición oblicua; presiónalo para que quede recostado e intente recobrar la posición.
f) Anímalo a que se siente, por ejemplo, a ver la televisión o a observar otra actividad que le resulte interesante.
g) Refuérzalo alabando estruendosamente todos los esfuerzos que haga para sentarse y mantenerse el mayor tiempo posible en esta posición.

3. OBJETIVO: Fortalecer músculos.

a) Boca arriba, sostén al bebé por debajo de los brazos (sujetándolo suavemente por el pecho), álzalo en posición horizontal, con la cara hacia ti. El bebé reaccionará arqueando la espalda, estirando y extendiendo piernas y brazos. (Figura No. 20).
b) Coloca al bebé sobre una escalera. Deja que ponga los pies en el primer escalón, anímalo para que recorra los otros, sosteniéndolo hasta cuando logre hacerlo solo, lo que logrará hacia el octavo mes. Vigila siempre esta actividad.
c) Tómalo cargado con la cabeza hacia abajo, elévalo hasta ponerlo atrás sobre tu espalda con la cabeza hacia arriba. Debes tener mucho cuidado al realizar este ejercicio: hazlo sobre la cama o una colchoneta.

4. OBJETIVO: Estimular la motricidad fina (capacidad de agarre y manejo de las manos).
a) Ofrécele objetos cilíndricos o redondos, invítalo para que los tome con la palma de la mano.
b) Déjalo sacar de su plato trozos de comida o pan con los dedos y llevárselos a la boca. Dale la cuchara para que vaya aprendiendo a tomarla.
c) Permite que manipule objetos de diferente peso.
d) Ponle el chupo en la mano dejando la parte de

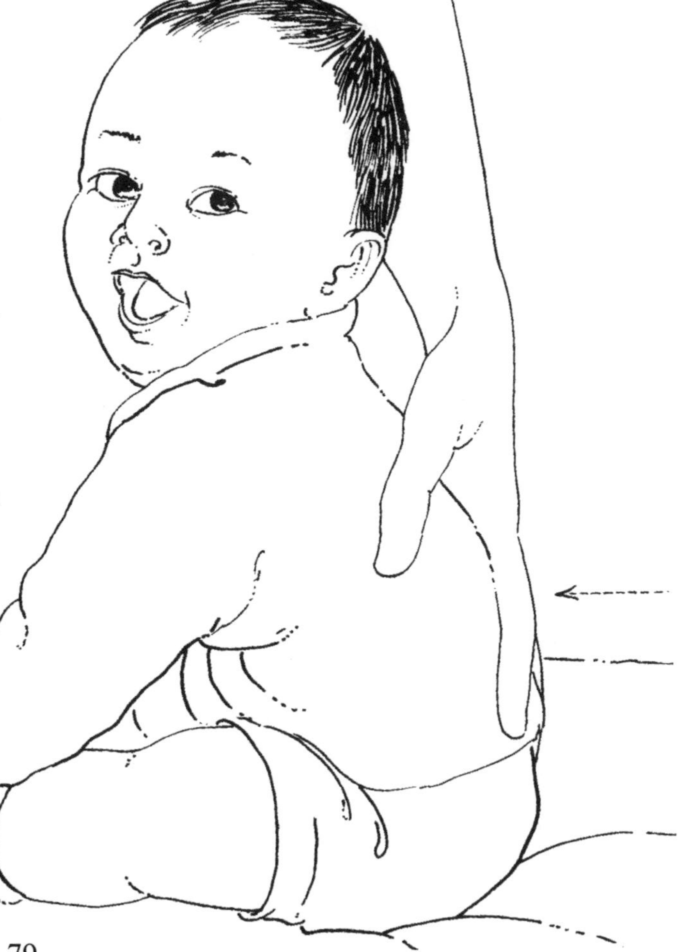

Figura No. 19

atrás hacia la boca, de tal manera que tenga que darle la vuelta para chuparlo.
e) Muéstrale un frasco lleno de cosas pequeñas (por ejemplo, uvas pasas). Deja que las riegue y anímalo para que vuelva a ponerlas dentro del frasco.
f) Da al niño una bolsa o una pelota y ten una igual en tus manos. Juega a pasarla de una mano a la otra, mientras le dices: "en una mano, en la otra".
g) Realiza juegos con los dedos del bebé, cuéntale de uno a diez tomando dedo por dedo.

Estimulación cognoscitiva

1. OBJETIVO: Clasificar los objetos según sus características.
a) Coloca frente al niño un cubo. Dile: "mira, éste es un cubo", deja que lo observe. Ahora muéstrale otro igual pero de mayor tamaño y deja que observe ambos; dale otro y dile: "mira: tenemos uno, dos, tres cubos". Permite que juegue con ellos. Cuando pierda el interés, alinéalos frente a él y dile: "este es diferente, es más grande".
b) Enséñale a clasificar los objetos por su utilidad. Por ejemplo, indícale cómo la camisa, los pantalones, el saco sirven para vestirse. La olla, la cacerola, el cucharon sirven para cocinar.

2. OBJETIVO: Estimular el concepto de permanencia de los objetos.
a) Nombra dos veces un objeto que el bebé está mirando con atención. Cuando no esté poniéndole cuidado, vuélvelo a nombrar; cuando voltee a mirarlo, entrégaselo.
b) Dale objetos amarrados a un cordón (por ejemplo, llaves). Muéstrale cómo se balancean de un lado a otro, déjalas caer desde arriba para que siga la trayectoria de la caída.
c) Ponle un juguete atado a una cuerda sobre una mesa, sin que él lo haya visto; muéstrale cómo, al halar la cuerda, el juguete aparece.

3. OBJETIVO: Desarrollar la noción de secuencia.
a) Enséñale como unas cosas van antes que otras. Por ejemplo, antes de vestirte tienes que bañarte, después de comer te lavas los dientes. Primero abres la puerta y después sales.

4. OBJETIVO: Enseñar la noción de detención de la acción.
a) Dile: "no" toda vez que tengas que marcarle un límite. Hazlo con la palabra acompañada del movimiento de cabeza y mano correspondiente. Por ejemplo: "No puedes tocar esa mesa", "no Andrés, esto no se hace".

Estimulación del lenguaje

1. OBJETIVO: Aumentar el vocabulario.
a) Pronúnciale monosílabos como, *ba, ja, pa, ma.* Combínalos luego para sacar palabras; por ejemplo: pa-ja; ma-pa. etc.
b) Señálale las cosas por su nombre completo.

Estimulación visual

1. OBJETIVO: Ampliar la capacidad para seguir objetos en movimiento.

Figura No. 20

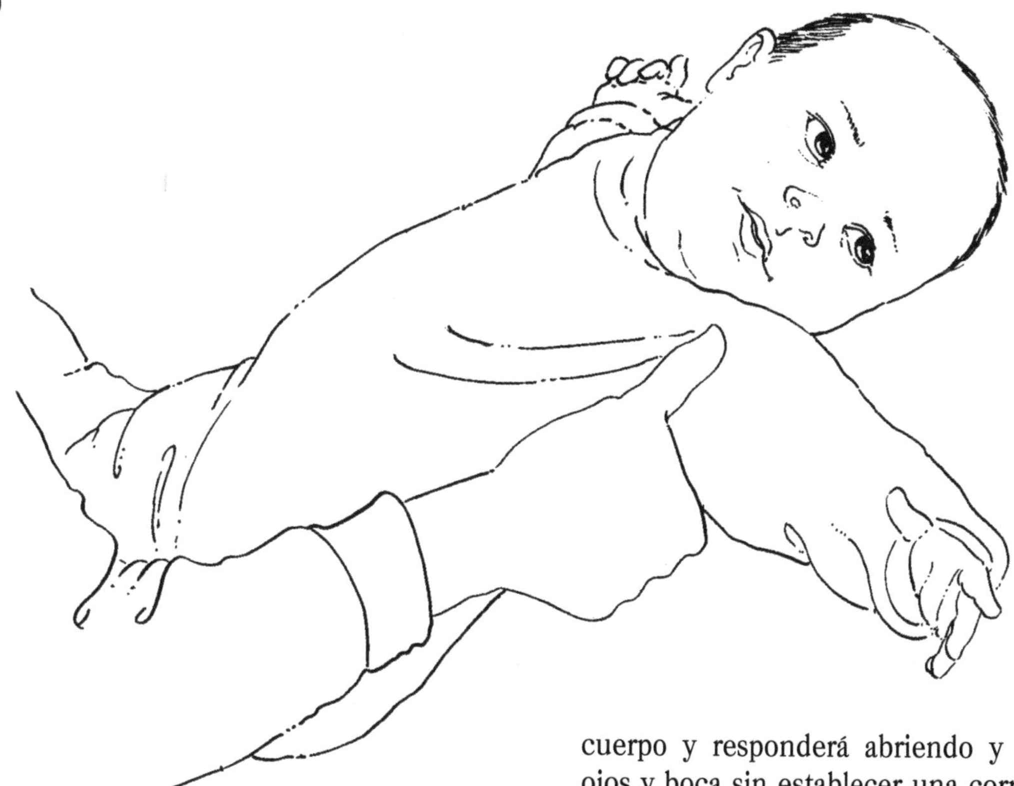

a) Haz rodar una pelota para que el bebé la siga con la mirada. Deja que luego vaya en su búsqueda.
b) Ponlo cerca a la ventana para que vea pasar los carros y las personas que van caminando.
c) Dale un globo inflado para que observe su movimiento.

2. OBJETIVO: Reforzar la imitación de movimientos.
a) Abre y cierra los ojos o la boca delante del bebé. Al comienzo confundirá las diferentes partes del cuerpo y responderá abriendo y cerrando los ojos y boca sin establecer una correspondencia, pero luego lo hará correctamente.
b) Puedes igualmente apretar tus labios, moverlos como para dar besos, inflar los cachetes, bostezar emitiendo sonidos fuertes, para que el niño te imite.

Estimulación socio-afectiva

1. OBJETIVO: Estimular reconocimiento de sí mismo.
a) Pon frente al bebé un espejo, de tal manera que pueda ver su imagen cuando esté sentado. Pregunta "¿dónde está el bebé?".

b) Acostúmbralo a reaccionar ante su nombre, llámalo claramente cuando te encuentres a distancia de él. Repite su nombre rítmicamente.

2. OBJETIVO: Estimular la aceptación de sí mismo como unidad independiente.
a) Nombra cada una de las partes de su cuerpo, mientras el bebé las observa directamente. Utiliza para esto el espejo.

3. OBJETIVO: Reforzar la imitación de expresio nes faciales.
a) Cada vez que el bebé sonría haz lo mismo tú, igual cuando llora, haga muecas, bostece, etc.

Programación Semanal de Estimulación
Sexto mes

Días / *Áreas de estimulación*	*Lunes*	*Martes*	*Miércoles*	*Jueves*	*Viernes*	*Sábado*
Estimulación motriz	1a;1d;1f;2b;3b	2a;2d;2f;4b	1c;3a;4d;4f	1e;1g;2c;4a	1b;2e;2g;3c	2b;4c;4e;4g
Estimulación cognoscitiva	1a; 2a	1b; 2b	2c; 3a	2b; 4a	1b; 2a	2c; 3a
Estimulación visual	1a	2a	1b	1c	2b	1a
Estimulación auditiva						
Estimulación táctil						
Estimulación olfativa						
Estimulación del lenguaje	1a	1b	1a	1b	1a	1a
Estimulación socio-afectiva	1a según la oportunidad	1b; 2a	1a	1b; 2a	1a	1b; 2a

Resumen del Sexto mes

Peso	*Medida*	*Desarrollo físico*	*Desarrollo sensorio motor*	*Desarrollo intelectual*	*Desarrollo social*	*Juguetes*
Niño 7.9 kg Niña 7.1 kg	68.5 cm 65.0 cm	Se voltea y gira en todas las direcciones. Puede darse la vuelta estando sobre la espalda para quedar sobre el estómago. Puede llegar a tener un buen equilibrio cuando está sentado; puede inclinarse hacia adelante y hacia atrás. Se desliza estando sobre su estómago impulsándose con las piernas y dirigiéndose con sus brazos. Gira su cabeza libremente. Si se le sienta en una silla, se "bambolea". Se prepara para gatear. Inicia el palmoteo. Mientras trata de voltearse, cuando está de espaldas para quedar de lado, puede doblarse hasta quedar casi sentado.	Toma un bloque, alcanza un segundo y observa el tercero. Extiende la mano para alcanzar un juguete que se ha caído. Murmulla, se arrulla o deja de llorar en respuesta a la música. Le gusta jugar con la comida. Muestra algún interés en alimentarse él mismo con sus dedos. Desarrolla preferencias muy fuertes de gusto. Puede empezar a mover la taza y llegar a agarrarla de la manija. Utiliza un juguete para alcanzar otro. Casi siempre utiliza sólo un brazo para alcanzar algo en vez de utilizar ambos. Duerme durante toda la noche.	Permanece alerta durante un lapso de dos horas cada vez. Inspecciona objetos por un largo periodo de tiempo. Es capaz de alcanzar algo que ve rápidamente y sin "torpeza". Sus ojos dirigen ahora sus manos para alcanzar algo. Le gusta mirar objetos "patas arriba" y cambiarlos de perspectiva. Puede comparar dos objetos. Cambia de estados de ánimo abruptamente; sus principales estados de ánimo: el placer, la queja, el mal genio. Puede emitir más consonantes (*f, v, s, z*). Varía volumen, tono y proporción en las emisiones.	Prefiere jugar con gente. Balbucea y se vuelve activo cuando oye sonidos que le atraen. Balbucea más intensamente en respuesta a voces femeninas. "Vocaliza" placer e incomodidad; refunfuña o se queja. Balbucea y se arrulla cuando siente placer. "Chilla" ante la excitación. Se ríe con el "estómago". Trata de imitar expresiones faciales. Se voltea cuando oye su nombre. Se siente molesto con extraños. Se sonríe ante la imagen.	Juguetes para el baño. Frascos de champú vacios. Coladoras. Esponjas. Cajas de plástico. Juguetes de acción que le obliguen a usar las manos. Cubos de madera. Recipientes de boca ancha.

Registro de Evaluación Mensual

Semanas / *Áreas de desarrollo y estimulación*	*Primera*	*Segunda*	*Tercera*	*Cuarta*
Desarrollo y estimulación motriz				
Desarrollo y estimulación cognoscitiva				
Desarrollo y estimulación auditiva				
Desarrollo y estimulación del lenguaje				
Desarrollo y estimulación socio-afectiva				
Desarrollo y estimulación quinestésica				

Anotaciones para el próximo mes:

Séptimo Mes

Introducción

A partir de este mes el niño tendrá una gran movilidad, ya que sus habilidades motrices y mentales se han desarrollado ampliamente; tal avance le permitirá realizar tareas sencillas que aumentarán el control sobre su entorno y ampliarán su visión de lo que lo rodea.

Es un periodo emocionante, en el cual el crecimiento será mucho más acelerado. Al desplazarse irá dejando una huella de desorden, ya que descubrirá que hay libros bajos para tomar, revistas para romper, objetos interesantes que alcanzar. Comenzará a descubrir cómo están formadas las cosas: por ejemplo, la casa tiene ventanas, puertas; en ella hay sillas, camas, bibliotecas con libros, plantas, etc.

Utilizar más los dedos que las palmas le permitirá apretar, agitar, mover lo que este a su alcance; irá aprendiendo la relación causa-efecto a través de estas actividades.

Utilizará objetos para alcanzar otros. Intentará imitar todo aquello que hagan los demás, y permanecerá atento ante objetos que él haya visto esconder, lo que refleja una mayor permanencia del objeto en su mente.

La curiosidad es en este momento el motor que orienta las actividades que lleva a cabo con gran entusiasmo el bebé. Sin embargo, ésta se verá limitada porque aún no se atreve a alejarse por mucho tiempo d e su mamá y por lo tanto dedicará tiempos cortos a examinar las cosas. Tú todavía eres su punto focal y por esto la dependencia se hará aún más notoria, ya que su memoria le permite identificar a las personas conocidas por él. Es importante que vayas dejándolo solo gradualmente pero no durante mucho tiempo. Si te vas para la cocina o a otro cuarto, hazle saber que estas allí, y que, aunque estés fuera de su campo visual, sepa que no te has ido.

La atención activa de las madres es crucial para aumentar las potencialidades del bebé. El juego es bastante interactivo, es decir que comienza a incluir en ellos a otras personas. Los juegos con agua le proporcionarán especial placer; los juguetes podrán ser los mismos, pero ya hará cosas diferentes con ellos.

El bebé comenzará a aburrirse del biberón. Posiblemente le guste tomar en taza, deseo que puedes satisfacer. Sin embargo, recuerda que para él aún es importante chupar.

Aparecen los primeros dientes.

Características de desarrollo

Desarrollo motor

Sus músculos han alcanzado ya bastante firmeza y logra controlar muchos de sus movimientos. Puede entonces permanecer sentado por unos minutos inclinado hacia adelante. Intenta arrastrarse y da vueltas sobre sí mismo.

Comenzará también a ponerse a gatas. Al principio permanecerá estacionario en esta posición, más tarde avanzará y de vez en cuando se caerá de bruces.

Ante la presencia de algunos estímulos, el niño realiza movimientos intencionales de cabeza, tronco y pies.

Está ansioso por tocar todo lo que tiene a su alrededor. En este momento puede sostener un objeto con una mano y tomar otro con la otra mano simultáneamente. Tenderá aún a llevárselos a la boca. Le será más fácil coger los objetos grandes que los pequeños. Aprenderá a darle vueltas al objeto, siendo el dedo meñique el primero que dejara de participar en el agarre.

Durante el sexto mes, el niño golpea la mesa con la mano vacía o con un objeto sin ningún propósito. En el séptimo seguirá haciéndolo pero muy seguramente con un objeto más pesado, lo cual exige movimientos precisos. Pronto aprende a golpear con objetos duros y blandos y comprende que golpear suavemente es la base para acercar un objeto a otro.

Desarrollo cognoscitivo

El niño tiene en la etapa del séptimo mes una noción más definida de lo que es el espacio; al lanzar un objeto comprobará que cae en un lugar fuera de su alcance y tratará de desplazarse para tomarlo. Se sorprende ante lo nuevo y retira de su

Figura No. 21

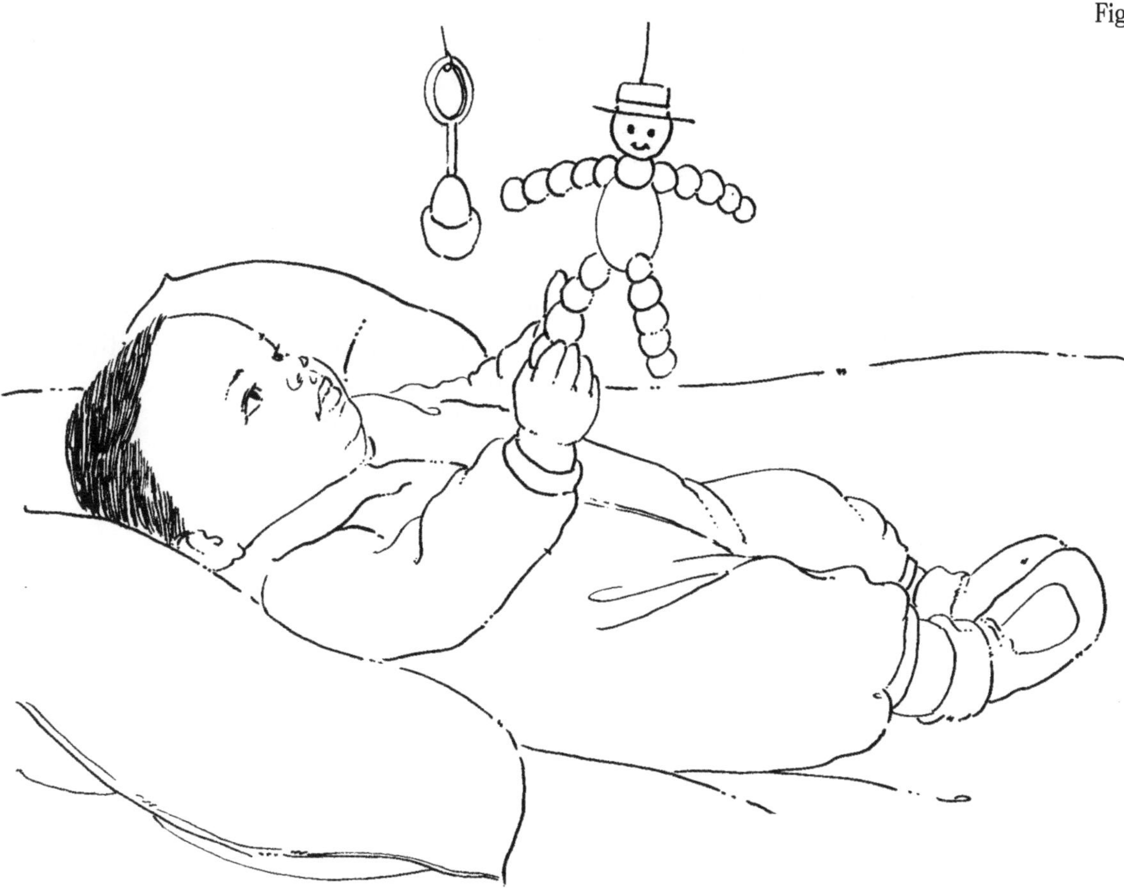

alrededor lo que no desea. Distingue la distancia a que se encuentra un objeto.

En este momento mantiene su atención en un objeto por mayor tiempo y comienza a fijarse en detalles. Se muestra atento ante una señal que indique repetición o respuesta a un acto. Comienza también a conocer las implicaciones de acciones que le son familiares.

Reacciona con emotividad ante su imagen en el espejo, lo mismo que al ver figuras de otros niños de su edad.

Si te vas, lo más seguro es que llore. Sin embargo, por su memoria todavía a corto plazo, olvidará pronto que te has ido.

Desarrollo del lenguaje

El niño continúa con balbuceos y gorjeos que en este momento tienen una entonación. Repite sonidos que ya conocía, imita ruidos con objetos y puede vocalizar diptongos (*ie, ea*) y silabas (*ma, ma, ma; pa, pa, pa*; sin atribuir su significado real). Comienza a utilizar las consonantes *b y d.*

Desarrollo visual

Durante este mes la agudeza visual del niño puede llegar a ser igual a la del adulto.

Desarrollo auditivo

En cuanto a su desarrollo auditivo, el niño puede en este momento localizar la fuente de un ruido y disfrutar con juguetes que produzcan sonidos tales como campanas, cajas de música y sonajeros.

Desarrollo táctil

El niño explora los juguetes completamente, los palpa, los saborea y casi siempre los lanza fuera de su alcance.

Explora su cuerpo con la boca y sus manos.

Desarrollo socio-afectivo

Al llegar a este mes el niño comenzará a tener un alto grado de sociabilidad. Le sonreirá y extrañará a otros miembros de la familia, tenderá los brazos a quien sea de su preferencia y expresará rechazo frente a alguien o algo que no desee. Estas actitudes son el comienzo de su interacción social.

Pasará largos ratos jugando con aquellos objetos que ya conoce. Sin embargo, será difícil que dure más de cinco minutos en un mismo sitio. Comenzará a reclamar un horario para jugar contigo, momentos que deben ser identificados y respetados por ti.

Comienza a entender el significado del "no" por el tono de voz.

Sus hábitos tanto alimenticios como de micción empiezan a espaciarse.

Te hará entender cuando ya esté lleno al comer.

Intervención general

No le ofrezcas siempre los juguetes en sus manos: en ocasiones colócalos a cierta distancia, de manera que el niño tenga que localizarlos y hacer un esfuerzo para agarrarlos.

Del séptimo al noveno mes, enséñale a tu hijo a adaptar la postura y la posición de la mano antes de tomar un objeto; a agarrar objetos pequeños colocados sobre una superficie; a actuar con un objeto sobre otro; a agacharse y recoger objetos; a abrir cajones y cajas, a vaciarlos y a llenarlos; a distinguir entre diversos materiales; a desarrollar movimientos autosuficientes; a realizar acciones en respuesta a peticiones verbales.

A partir de este mes el niño comenzará a calcular el tamaño, la forma y la posición de los objetos y a adaptar su mano a estas condiciones.

El desarrollo de los movimientos delicados de

las manos está vinculado estrechamente con el desarrollo del juego, influyendo en un alto grado en el desarrollo de la cognición (intelectual), la experiencia, el razonamiento y ciertas características como la concentración y la precisión.

Pídele que te entregue un objeto y después devuélveselo repitiendo la acción ("dame el oso, toma el oso"), con esto reafirmarás el concepto de orden y respuesta y estimularás la coordinación mecánica del niño.

Si notas que no hay constancia en sus ratos de juego, desarróllale la habilidad necesaria para que el niño continúe en sus juegos durante un periodo que consideres prudente.

De ahora en adelante, cada vez que le entregues un objeto de uso diario procura repetir en voz alta el nombre del objeto. Con esto lograrás que el niño se familiarice con él.

Es aquí donde el niño comienza a comprobar tus límites de tolerancia al querer que le alcances de nuevo todo aquello que arroja constantemente. Dale juguetes que pueda arrojar, golpear y dejar caer.

Cuando estés realizando alguna actividad doméstica, como cocinar, dale por ejemplo algunos espaguetis para que parta. Igualmente, le puedes facilitar una hoja pequeña de papel aluminio para que arrugue. No lo dejes solo con estos objetos.

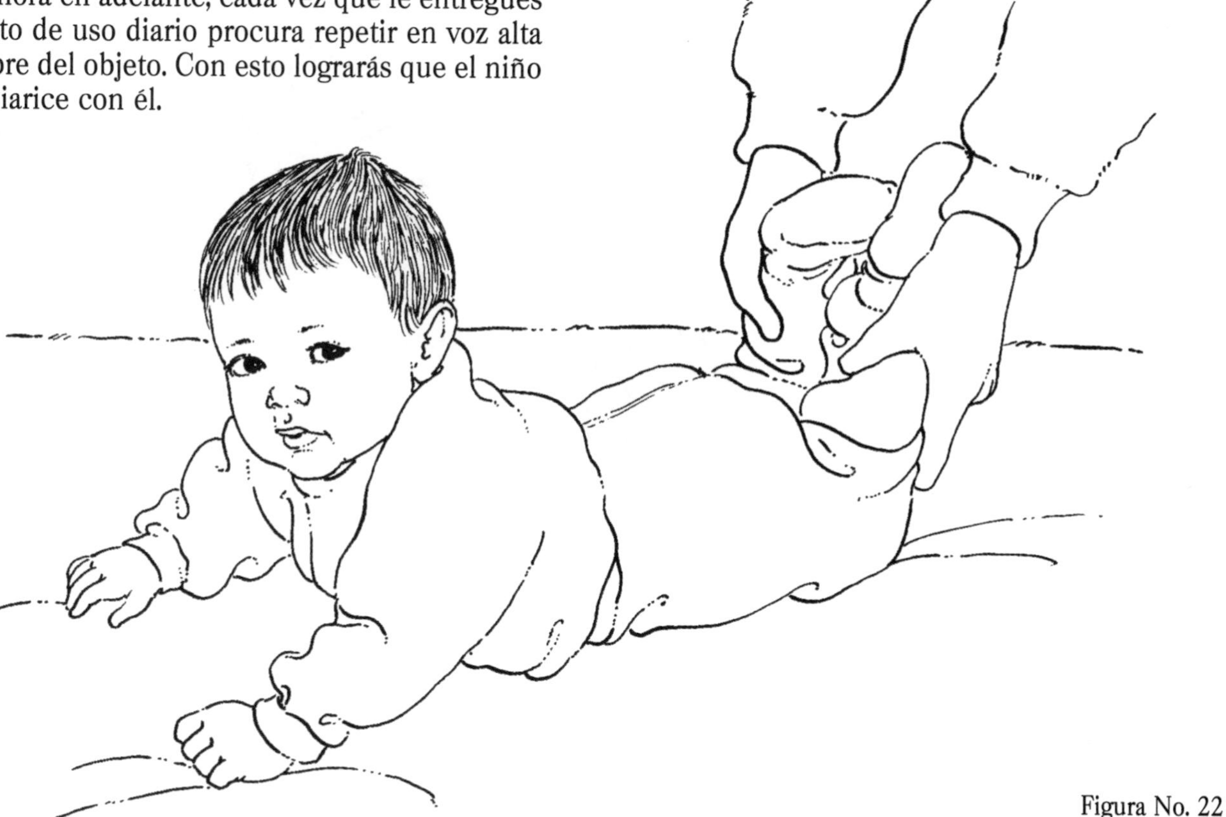

Figura No. 22

Utiliza el biberón solo para alimentarlo y no como entretención. Procura que se lo tome en el momento en que debe hacerlo y no se lo dejes para que lo mantenga durante ratos prolongados como chupo, ya que el azúcar de la leche puede empezar a hacerle daño en sus nuevos dientes.

Estimulación directa

En este mes debes iniciar los ejercicios del bebé con una frecuencia de siete a diez veces máximo cada vez que lo realices. Habrá algunos ejercicios tales como cantar, hablar, sonreír, acariciar, etc. que no requieren de una frecuencia exacta sino que dependen de la disponibilidad, tanto del bebé como tuya.

Estimulación motriz

1. OBJETIVO: Estimular el aprendizaje para incorporarse y sentarse.

Figura No. 23

a) Coloca al niño acostado de espaldas sobre sus; nalgas y piernas en una superficie horizontal, logrando que la espalda le quede levantada en una posición de veinte a treinta grados. Cuelga algo llamativo frente a él y verás cómo el niño intentará agarrarla impulsándose fácilmente a sí mismo hasta quedar en la posición de sentado. (Figura No. 21).
b) Coloca al niño cerca de las barandas de su cuna y ofrécele un juguete por encima, sosteniéndolo alto, con el fin de que se agarre de las barandas y comience a incorporarse.

2. OBJETIVO: Entrenar al niño para el gateo.
a) Continúa con el niño boca abajo poniéndole al frente, a una distancia prudente, su juguete preferido. Al mismo tiempo ponte detrás del niño y ayúdale a mover sus piernas en posición de gateo, a la vez que le vas facilitando el movimiento de sus manos para que no caiga de bruces. Cuando el niño agarre el objeto apláudelo festejando el hecho. (Figura No. 22).
b) Recuéstate en el suelo y coloca al niño a un lado tuyo, de tal forma que tenga las rodillas en el suelo y se incline sobre tu estómago. Coloca un juguete al otro lado. El niño, en su intento de apoderarse del juguete, se acostará a través de ti y se empujará con sus pies. Puedes ayudarlo empujándole sus piernas y nalgas con tu mano. (Figura No. 23).

3. OBJETIVO: Desarrollar destreza en motricidad fina.
a) Haz que tome un objeto con una mano y que luego lo lleve a la otra, repite este ejercicio varias veces; luego colócale un objeto en cada mano y entrégale un tercero. Comprueba si lanza uno o si es capaz de sostener el tercero. Repítelo varias veces sin cansarlo.
b) Toma las muñecas del niño y muéstrale cómo se dan palmadas. Pronto empezará a darlas por sí mismo.

Estimulación cognoscitiva

1. OBJETIVO: Desarrollar a nivel mental la Permanencia del Objeto.
a) Escóndele ciertos objetos que le sean familiares y pregúntale en voz alta por ellos, por ejemplo: "¿dónde está el perro?". Comprueba la reacción del niño y vuelve a entregárselo. Repite este ejercicio con otros objetos.

2. OBJETIVO: Reforzar actividades que implican la relación Causa-Efecto.
a) Entrégale juguetes que suenen al apretarlos y enséñale la relación que hay entre la causa y el efecto.
b) Paséalo por la casa mostrándole la relación que existe al encender el interruptor de la luz; con el timbre; al mover la manija de la puerta: al abrir la ventana; etc.

Estimulación auditiva y del lenguaje

1. OBJETIVO: Ejercitar al niño la localización de la fuente del sonido.
a) Llama al niño por su nombre, palmotea, enciende

la radio o agita un objeto sonoro buscando que el niño localice la fuente del ruido.

2. OBJETIVO: Desarrollar el reconocimiento del concepto del "sí" y el "no".
a) Con ritmo, palmoteo y movimientos de la cabeza y la expresión correspondiente, indícale el significado del "sí" o el "no".

3. OBJETIVO: Reafirmar el concepto de órdenes y respuestas.
a) Pídele, llamándolo por su nombre, que te entregue su juguete preferido.

Estimulación táctil

1. OBJETIVO: Estimular el reconocimiento de texturas.
a) En el momento de la comida, deja que el niño la toque con sus manos y pueda apreciar su textura. Haz que se lleve a la boca alguno de los alimentos que tocó para que relacione la textura con el sabor.
b) Llévalo por la casa tocando las cortinas, el cubrelecho, toallas, vestidos, etc.
c) Entrégale una plastilina no tóxica para que comience a experimentar las diferentes texturas que se pueden conseguir con ella (dura, blanda).

Estimulación socio-afectiva

1. OBJETIVO: Estimular el aprendizaje por Imitación.
a) Palmotea y alza los brazos para que el niño lo repita por imitación.
b) Arruga la cara, saca la lengua y respira fuertemente con el fin de que el niño te imite.

2. OBJETIVO: Reforzar la socialización en el niño.
a) Permítele que juegue con otros niños de su edad para que vaya familiarizándose con otras personas.

Programación Semanal de Estimulación
Séptimo mes

Días / *Áreas de estimulación*	*Lunes*	*Martes*	*Miércoles*	*Jueves*	*Viernes*	*Sábado*
Estimulación motriz	1a	2a	3a	1b	2b	3b
Estimulación cognoscitiva	1a	2a	2b	1a	2a	2b
Estimulación visual						
Estimulación auditiva y lenguaje	1a	2a	3a	1a	2a	3a
Estimulación táctil	1a	1b	1c	1b	1c	1a
Estimulación olfativa						
Estimulación del lenguaje						
Estimulación socio-afectiva	1a, 2a, según la oportunidad	1a	1b	1a	1b	1a

Resumen del Séptimo mes

Peso	*Medida*	*Desarrollo físico*	*Desarrollo sensorio motor*	*Desarrollo intelectual*	*Desarrollo social*	*Juguetes*
Niño 8.4 kg Niña 7.6 kg	70.0 cm 66.5 cm	Se levanta sobre manos y rodillas. Va adquiriendo posición de gateo. Se arrastra con un objeto en una mano o ambas; usualmente va hacia adelante. Tenderá a gatear (con el abdomen levantado del piso). Se puede desplazar cuando está sobre la espalda levantando y bajando sus nalgas. Equilibra bien la cabeza. Se sienta solo firmemente durante algunos minutos. Mantiene un buen equilibrio y disfruta una postura derecha; ya no necesita sus manos como soporte. Es posible que ya tenga dos dientes.	Alcanza y agarra un juguete con una mano. Sostiene dos objetos simultáneamente, uno en cada mano; puede golpear uno con otro. Manipula, golpea y se lleva los objetos a la boca. Juega vigorosamente con juguetes que producen sonidos como campanas, cajas de música y sonajeros. Agarra y manipula una cuchara o una taza jugando. Explora su cuerpo con su boca y manos. Distingue objetos en el espacio que están cerca y lejos.	Su atención es más fija; hay gran interés por los detalles. Responde con gran expectativa ante un evento que se repite o ante una señal. Recuerda pequeñas series de acciones en el pasado inmediato, siempre y cuando éstas incluyan sus propias acciones. Comienza a aprender las implicaciones de actos familiares. Puede asociar el retrato de un bebé con él mismo y dar un sonido apropiado. Trata de imitar sonidos o serie de sonidos. Puede decir "papá" y/o "mamá" sin significado. Tiene sílabas bien definidas pero la mayoría de las vocales y consonantes las emite al azar.	Muestra deseos de ser incluido en interacción social. Se emociona ante el juego. Comienza a demostrar el buen humor ante lo que le gusta y la molestia ante lo que no. Se resiste ante las presiones de hacer algo que no quiere. Puede asustarse ante extraños. Alcanza y acaricia con pequeños golpecitos la imagen en el espejo. Está aprendiendo el significado del "no" por el tono de voz.	Juguetes con peso en la base, que al derribarlos queden otra vez de pie. Juguetes de succión. Centro de actividades que tenga para estimular las diferentes habilidades manuales. Teléfono de juguete. Animales de felpa.

Registro de Evaluación Mensual

Semanas / *Áreas de desarrollo y estimulación*	*Primera*	*Segunda*	*Tercera*	*Cuarta*
Desarrollo y estimulación motriz				
Desarrollo y estimulación cognoscitiva				
Desarrollo y estimulación auditiva				
Desarrollo y estimulación del lenguaje				
Desarrollo y estimulación socio-afectiva				
Desarrollo y estimulación quinestésica				

Anotaciones para el próximo mes:

Octavo Mes

Introducción

La curiosidad lleva al niño, en el octavo mes, a hacer nuevos descubrimientos sobre la base de aprendizajes anteriores. Pasan largos ratos examinando, asimilando y archivando sus descubrimientos intelectuales.

La actividad que despliega en este momento es muy intensa y carece de la conciencia del peligro. Querrá dar rienda suelta a todos sus deseos; por lo tanto, no le "agradará" que le coarten sus impulsos. Pasa de momentos de total indiferencia a expresiones de júbilo y desbordante alegría.

Le fascina ver cómo las puertas se abren y cierran. Esto lo lleva a meter los dedos en las aberturas que quedan en las bisagras. Es la edad propicia para los machucones.

Comenzará a agarrar objetos con el dedo pulgar y el índice. Aquellas migas que en el mes anterior le intrigaban, ya las puede tomar. El resto de los objetos también se los llevará a la boca para explorarlos, colocándolos previamente a una distancia prudente para poder verlos bien.

En cuanto a su motricidad gruesa, aprenderá a desplazarse adoptando sus propias formas de gateo. El mismo encontrará la forma de lograrlo. De igual forma se prepara para caminar. Aprenderá a sostenerse poco a poco, para luego ir desplazando su peso. Esto será un proceso gradual, por lo que no debes obligarlo.

La visión está ya muy desarrollada: podrá señalar o que desee y sus ojos seguirán lo que tú quieras mostrarle; descubrirá nuevos detalles en su cuarto.

En el área socio-afectiva sus avances son igualmente notorios: aprende a decir adiós con la mano, aplaude y puede contestar al teléfono, que le interesa especialmente, si está cerca.

La ansiedad hacia los extraños puede disminuir aumentar en relación con meses anteriores. Por ejemplo, cuando está recién levantado la ansiedad aumenta, pero si el extraño se acerca poco a poco y la madre demuestra aceptación por esta persona, le hará sentir mayor confianza y quizás pueda aceptarlo.

En cuanto a sus hábitos de sueño, el bebé continuará con dos siestas diarias, pero muchas veces gran actividad que tiene en este mes hace que éstas disminuyan y que inclusive se despierte en noches por la gran excitación. Cuando esto ocurra no lo pases a tu cama ni lo levantes: el solo hecho de que él te sienta allí y le hables, lo tranquilizará para recobrar de nuevo el sueño.

Características del desarrollo

Desarrollo motor

Se sienta tan firmemente que puede inclinarse hacia adelante y hacia atrás y volver a su posición inicial, lo mismo que brincar en sus nalgas y girar sin perder el equilibrio. Comienza a arrastrarse aún sin levantar el abdomen, pero logra desplazarse por el piso impulsándose con los dedos de los pies. Al comienzo, probablemente lo hará para atrás. Sin embargo, como el desarrollo de cada niño es diferente, encontraremos unos más adelantados que ya inician el gateo con desplazamiento, tanto hacia adelante como hacia atrás. Estos últimos hacia finales del mes podrán trepar por una escala inclinada. Con ayuda se levantará y, sostenido de un mueble, podrá estar de pie brevemente. Brinca y baila cuando se le sostiene en posición erguida. En el momento de sentarse necesita ayuda, pero permanecerá sentado solo ya por varios minutos.

Comienza en forma rudimentaria a introducir objetos en un recipiente. Golpea un objeto contra otro, para agarrarlo utiliza los pulgares. Cuando son objetos circulares utiliza las yemas de los dedos. Aplaude, abre y cierra sus manos en movimientos circulares.

Desarrollo cognoscitivo

Recuerda por sí mismo eventos y acciones pasadas. Igualmente, retiene pequeñas series de eventos correspondientes a un pasado inmediato.

Mantiene un modelo mental del rostro humano, interesándose especialmente por sus diferentes expresiones.

A partir de este mes puede dar soluciones a problemas simples, tales como buscar objetos que le han sido escondidos en su presencia o alcanzar un objeto teniendo otro en su mano.

Crea un nuevo estilo de aprendizaje; combina pequeños conocimientos de conductas aprendidas anteriormente a nuevos actos.

Desarrollo del lenguaje

Aunque su vocabulario no es extenso ni comprende frases complejas, se hacen más frecuentes las repeticiones de sílabas continuas, cobrando un carácter distintivo las estructuras de entonación que indican énfasis y expresión de emociones. Articula palabras por imitación, repite sílabas como en *mamá, papá, bebé*; y ante la presencia de personas o cosas conocidas emite sonidos.

Desarrollo gustativo

Saborea todo cuanto esté a su alcance.

Desarrollo socio-afectivo

Es capaz de participar en juegos, grita para llamar la atención; entiende cuando se le llama por su nombre; llora ante la ausencia de la madre; sabe cómo "usar" a sus padres para obtener algo. Inicia movimientos con la quijada y mímica con la boca. Retira fuertemente las cosas que no desea.

Sonríe, patalea y trata de besar a la imagen del espejo; se asusta ante la presencia de extraños, y se vuelve más selectivo ante la gente. Algunos estudios han demostrado que los niños se relacionan mejor con otros de su mismo sexo.

Sus cambios de humor son bruscos.

Intervención general

En este mes debes comenzar a trabajar el fortalecimiento de los lazos emocionales de tu hijo con las personas más allegadas, especialmente con los papás. Enséñale a no mostrarse huraño con las personas, prepáralo para establecer contactos activos con otros adultos. Igualmente a comprender los gestos más sutiles y la mímica, y a reaccionar a las palabras durante los contactos sociales.

Durante este mes hay que poner en marcha también la regla de que las emociones positivas manifiestan el buen humor del bebé.

Una vez el niño logre sostenerse, le costará trabajo volver al piso sin golpearse. Su método será simplemente dejarse caer. Por lo tanto, trata de enseñarle por imitación cómo doblarse primero hacia adelante poniendo las manos en el piso en el momento de la caída y luego sentarse; sin embargo, no insistas demasiado en esto: si a él le gusta y le resulta cómodo, lo hará.

Pídele a una persona de tu total confianza que se ocupe del niño de vez en cuando, con el fin de que se acostumbre a pasar algún tiempo sin ti. Los lazos emocionales entre tu hijo y tú se fortalecerán más. La madre y el niño no deberán pasar todo el tiempo juntos: necesitan descansar el uno del otro y, como es natural, el niño necesita saber que está en buenas manos y que sus padres regresarán.

Cuando vayas de compras, pídele al vendedor que ponga algunas de las cosas que has comprado

Figura No. 24

en las manos del bebé. Esto le ayudará en el proceso de socialización y a sentirse parte de las tareas de mamá.

Pon varios objetos a su alcance y procura que se interese por algunos y los tome con sus manos. Repítele ante el objeto o persona conocida la combinación de sílabas. Por ejemplo, "tete" para tetero, papa" para papá.

Háblale constantemente con frases e ideas sencillas y concretas. Puedes grabar al niño sin que se dé cuenta y veras el tipo de sonidos, vocales y consonantes que más usa; por ejemplo la "*ñ*" no la podrá pronunciar sino hasta varios meses después.

Si remedas sus sonidos y gestos, el niño se dará cuenta de lo que él está haciendo y aprenderá más rápido a controlar los sonidos que él mismo emite. Ensaya también los diferentes tonos de voz. Cuando estés estimulando al niño en el habla, fíjate que no esté encendido al mismo tiempo un equipo de sonido o la televisión.

No le pases cosas pequeñas con las que pueda atorarse.

Enséñale a que coloque lenta y suavemente los objetos sobre una superficie.

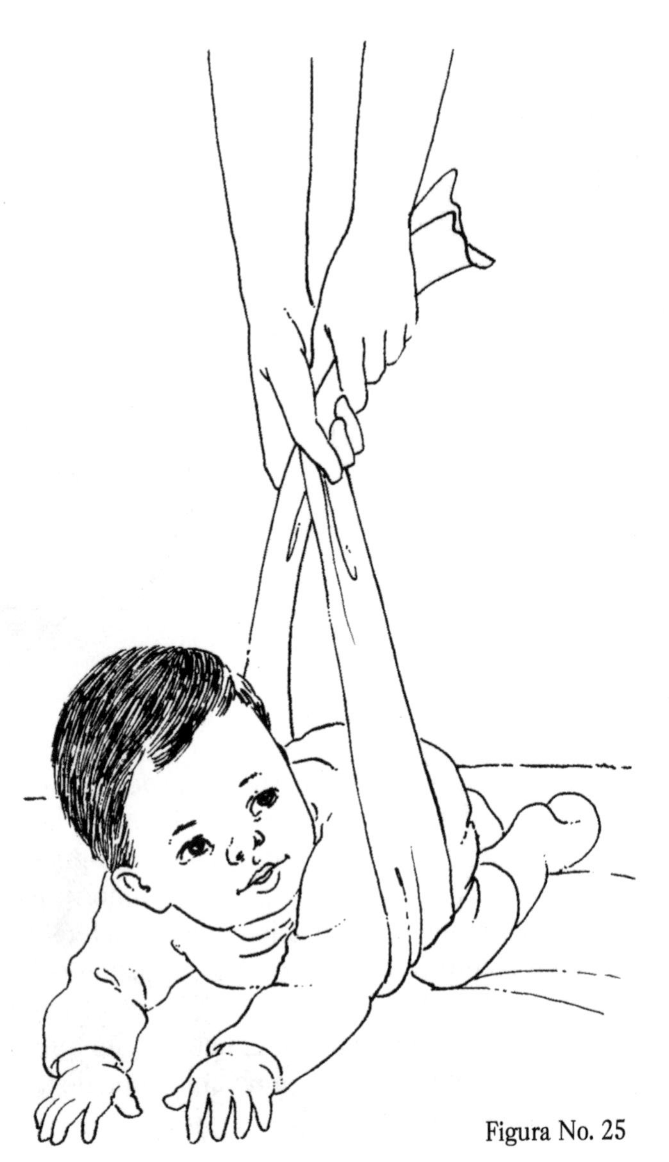

Figura No. 25

Es hora de colocarlo en su silla de comedor. No lo dejes distraer mientras come; si es el caso, utiliza algo que tú tengas bajo control, que le mantenga ocupadas sus manos y lo deje comer.

Estimulación directa

En el octavo mes la frecuencia de los ejercicios está en un promedio de siete a diez veces cada uno, teniendo en cuenta la disponibilidad tanto del niño como tuya.

Estimulación motriz

1. OBJETIVO: Ejercitar el fortalecimiento de los brazos y piernas.

a) El padre y la madre se sientan en el piso, uno enfrente del otro, con las piernas ligeramente abiertas para formar una especie de doble obstáculo. Coloca al niño sobre las piernas del primer lado y persuádelo para que gatee sobrepasando éstas y las segundas en dirección a un juguete situado al otro lado. A este ejercicio le podrás poner mayor dificultad al no poner una pierna totalmente. (Figura No. 24).

b) Dobla una tela para tener un ancho cabestrillo y pásalo por el pecho de él con ambos extremos sobre la espalda. Toma en tus manos los dos extremos y sírvete del cabestrillo para alzar el pecho del niño a diez o quince centímetros del suelo. Esto le ayudará a llevar las piernas bajo el vientre y se pondrá a cuatro patas. (Figura No. 25).

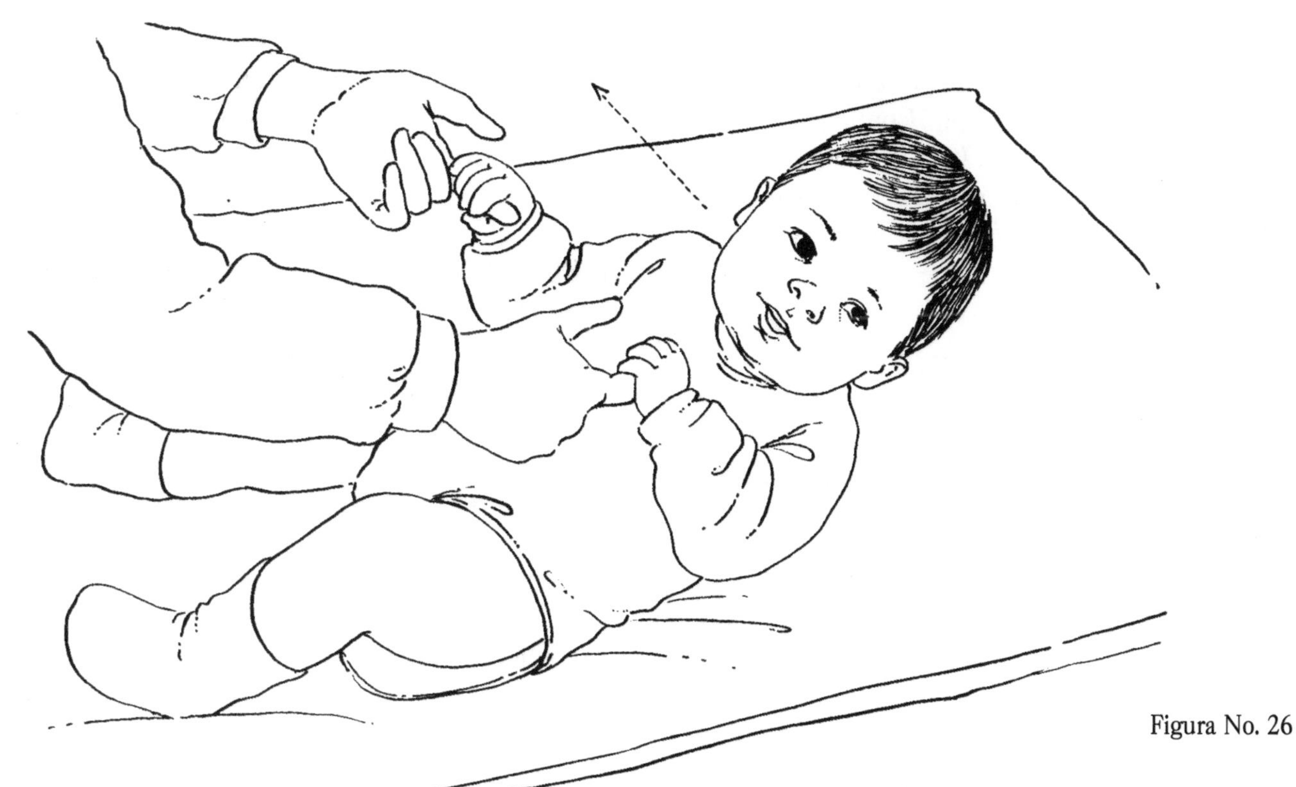

Figura No. 26

c) Enséñale al niño a incorporarse, sujetándolo de las manos y levantándolo lentamente hasta quedar sentado; poco a poco lograrás que permanezca de pie. (Figura No. 26).

2. OBJETIVO: Desarrollar la facilidad de asir objetos de diversos tamaños y formas, en distintas posiciones.

a) Ofrécele al niño con frecuencia objetos de distintas formas con los que esté poco familiarizado y que no sepa coger todavía. Por ejemplo, un disco de cartón (como un plato pequeño, plano) que sólo se puede agarrar por el borde; un globo que debe asir con ambas manos, etc. Se puede ejercitar la adaptación de la mano ofreciéndole objetos alargados o planos (como tapas por ejemplo), en posiciones distintas. El niño tendrá que colocar la mano en forma diferente cuando le des el objeto en posición vertical, horizontal o inclinada. Luego repite este mismo ejercicio pero en movimiento, de manera que el niño lo tenga que tomar mientras tú lo agitas.

3. OBJETIVO: Estimular al niño para que rescate objetos que se encuentran dentro de un recipiente.

a) Coloca un objeto atractivo para el niño dentro de un recipiente, de forma que él te vea. Luego dile que lo saque de allí. Comienza con recipientes de boca ancha (tarros, cajas, canastos) y luego ve reduciendo ésta poco a poco (frascos de mermelada, de café, hasta llegar a envases de refrescos).

Estimulación cognoscitiva

1. OBJETIVO: Estimular la memoria inmediata.
a) Permítele que observe cómo al encender el radio se escucha música; apágalo y enciéndelo de nuevo. Estimúlalo para que el niño lo haga por imitación. Haz esto mismo con la televisión, la luz, etc.

2. OBJETIVO: Desarrollar la capacidad para conseguir un propósito.
a) Coloca un juguete ante él dentro de una caja y cubre ésta a la vez con una tela: verás como el niño, primero apartará la tela y luego retirará el juguete de la caja, demostrándote que logró su meta alcanzando lo que le interesaba y dejando de lado la tela y la caja.

3. OBJETIVO: Entrenar al niño en la generalización de actos e ideas.
a) Indícale al niño como puedes atraer su camión o perro de felpa atándole una cuerda. Cuando haya dominado el problema desde el punto de vista manual, desarrolla su capacidad de razonamiento alterando la situación y permitiéndole hacerse a varios juguetes con la misma cuerda, o al mismo juguete con varias cuerdas. Haz este ejercicio en diferentes lugares, en el piso, en la cuna, etc.

Estimulación del lenguaje

1. OBJETIVO: Estimular el desarrollo del lenguaje pasivo.
a) Señálale el reloj llamándolo por su nombre y diciéndole que éste suena "*tic, tac, tic, tac*"; luego pregúntale: "¿dónde está el reloj?". Si vuelve la cabeza hacia él, vuelve a preguntarle: "¿dónde está el *tic, tac*?". Repite este ejercicio hasta que el niño logre identificar el objeto tanto por su nombre como por su sonido.

2. OBJETIVO: Reforzar el balbuceo.
a) Alábale y demuéstrale lo complacida que te sientes cuando repite las sílabas varias veces (*ma, ma, ba, ba*) o cuando combine dos sílabas diferentes (*ba, ma*).

3. OBJETIVO: Ejercitar el desarrollo de palabras activas.
a) Comienza a mostrarle diferentes dibujos de animales; de cada uno de ellos haz el sonido que le corresponda. Por ejemplo, cuando le señales el perro, haz "*guau, guau*".

Estimulación auditiva.

1. OBJETIVO: Reforzar la diferenciación entre sonidos graves y agudos.

a) Con tu voz y en forma de juego, indícale al niño dos tonos que correspondan a sonidos graves y agudos. Repite esto con frecuencia.

2. OBJETIVO: Desarrollar la diferenciación entre conversaciones en voz alta y susurros.
a) Háblale al niño en tu tono de voz normal, luego repítele exactamente lo mismo en susurro al oído. Después, vuelve a repetir la oración pero desde más lejos y en un tono de voz mucho más alto del normal.

3. OBJETIVO: Estimular el ritmo en el niño.
a) Colócale diferentes tipos de música, baila con él de acuerdo al ritmo y hazle notar cuando vas más despacio y cuándo más rápido.

Estimulación táctil

1. OBJETIVO: Desarrollar la adaptación de los movimientos de la mano y percepción de texturas.
a) Pon una piedra pómez en una cazuela, luego en una olla una esponja suave y más tarde en una jarra una lima de uñas. Preséntale cada recipiente en varias posiciones, hacia la derecha, hacia la izquierda, hacia arriba, etc. El niño deberá meter su mano y sacar lo que haya en el recipiente. Verás cómo el niño tendrá que adaptar los movimientos de la mano a la forma de cada uno de los recipientes.

2. OBJETIVO: Estimular la diferenciación de texturas.
a) Al vestirlo, haz que el niño toque sus medias, zapatos, camisetas, etc., al mismo tiempo que le vas nombrando la textura correspondiente: hilo, lana, algodón, etc.

3. OBJETIVO: Aprender a diferenciar entre suave y áspero.
a) Selecciona entre sus juguetes u objetos que tengas en tu casa elementos ásperos y suaves; entrégaselos y ayúdale a pasárselos por la palma de sus manos y por los brazos, indicándole a qué textura corresponde.

Estimulación socio-afectiva

1. OBJETIVO: Estimular la familiarización del niño con otras personas.
a) Procura que el niño se mantenga en contacto frecuente con otras personas tanto adultas diferentes a sus padres, como niños.

2. OBJETIVO: Reforzar el aprendizaje por imitación.
a) Toma un vaso y dale otro al niño. Haz que él imite la acción de tomar de él agarrándolo de manera adecuada. Alábalo a medida que lo vaya logrando.

3. OBJETIVO: Fortalecer los lazos emocionales entre el niño y los padres.
a) El camino más rápido y sencillo para ganarse el afecto del niño es proponerle juegos interesantes. Por lo tanto, dedícale el tiempo necesario a esta actividad, ya que no solamente las expresiones de afecto en besos y abrazos son suficientes.

Programación Semanal de Estimulación
Octavo mes

Días / *Áreas de estimulación*	*Lunes*	*Martes*	*Miércoles*	*Jueves*	*Viernes*	*Sábado*
Estimulación motriz	1a	2a	3a	1b	1c	2a
Estimulación cognoscitiva	1a	2a	3a	1a	2a	3a
Estimulación visual						
Estimulación auditiva	1a	2a	3a	1a	2a	3a
Estimulación táctil	1a	2a	3a	1a	2a	3a
Estimulación olfativa						
Estimulación del lenguaje	1a; 2a, según la oportunidad	3a	1a	3a	1a	3a
Estimulación socio-afectiva	1a, según la oportunidad 2a	3a	2a	3a	2a	3a

Resumen del Octavo mes

Peso	*Medida*	*Desarrollo físico*	*Desarrollo sensorio motor*	*Desarrollo intelectual*	*Desarrollo social*	*Juguetes*
Niño 8.8 kg Niña 8 kg	71.5 cm 68.0 cm	Al comienzo del gateo puede hacerlo hacia adelante o hacia atrás. Se inclina sobre sus rodillas. Intenta sentarse solo. Puede sentarse y mecerse sobre sus nalgas. Se mantiene con las manos libres cuando se inclina hacia algo. Utiliza muebles para intentar pararse, todavía necesita ayuda. Igualmente, necesita ayuda para dejarse caer cuando está parado. Cuando se encuentra parado, coloca un pie enfrente del otro. Puede tener problemas en el sueño por su actividad motriz en el día.	Examina objetos como realidades externas y de tres dimensiones. Observa las manos en diferentes posiciones, sosteniendo y dejando caer objetos. Sostiene y manipula un objeto mientras observa un segundo. Comienza a desarrollar la capacidad de agarrar las cosas con el índice y el pulgar a manera de pinza Puede asir una cuerda. Alcanza objetos con los dedos "sobrextendidos". Aplaude y agita sus manos. Saborea todo.	Recuerda un evento pasado y una acción propia. Retiene pequeñas series de eventos del pasado inmediato. Anticipa eventos independientes de su propio comportamiento. Comienza a mostrar conciencia del tiempo. Tiene un modelo mental del rostro humano y empieza a interesarse en sus variaciones. Comienza a imitar gente y comportamientos que están fuera de su vista y oído. Comienza a resolver problemas simples como patear un juguete colgante para tratar de agarrarlo. Comienza a establecer un estilo de aprendizaje. Combina pequeños patrones de comportamiento que ya conoce, en un nuevo acto. Vocaliza en dos sílabas.	Grita para llamar la atención. Puede saber cómo aprovechar a sus padres para obtener cosas que él quiere. Mantiene interés en jugar. Puede mover sus manos en señal de despedida. Balbucea con una variedad de sonidos e inflexiones y trata de ponerles entonación. Comienza a hacer mímica con la boca y mueve sus mandíbulas. Empuja o rechaza algo que no quiere. Rechaza el confinamiento. Le asustan los extraños. Le asusta que lo separen de su madre. Carece todavía de toda noción de peligro. Hace caricias, sonríe y trata de besar la imagen del espejo. Presenta cambios de humor bruscos.	Juguetes para armar. Juguetes para desarmar. Pelotas transparentes. Juguetes de cuerda. Juguetes grandes sobre ruedas. Juguetes para apilar.

Registro de Evaluación Mensual

Semanas / *Áreas de desarrollo y estimulación*	*Primera*	*Segunda*	*Tercera*	*Cuarta*
Desarrollo y estimulación motriz				
Desarrollo y estimulación cognoscitiva				
Desarrollo y estimulación auditiva				
Desarrollo y estimulación del lenguaje				
Desarrollo y estimulación socio-afectiva				
Desarrollo y estimulación quinestésica				

Anotaciones para el próximo mes:

Noveno Mes

Introducción

En este mes el niño se dedicará a consolidar todos sus aprendizajes anteriores. La curiosidad será mucho mayor, y de tal persistencia que ocasionará a los padres frecuentes disgustos, que deberán manejarse con cautela ya que es precisamente ese deseo de descubrirlo y conocerlo todo lo que lo lleva a la acción, además que sus movimientos para tomar y manipular objetos se han refinado notoriamente. Será incansable gateando, sentándose, yendo de un lugar a otro pero aún vuelve a su madre, pues con ella se siente en un lugar seguro.

El niño es especialmente inquieto en esta etapa; tomará las cosas de la cocina, del baño, del cuarto, etc. y hará varios viajes trayendo cosas que está coleccionando. Sus juguetes favoritos son los que tienen ruedas; los tambores; y llenar y desocupar canastos (ten cuidado con la caneca de la cocina ¡les fascina!).

Ya puede permanecer parado, agarrado de algo. Es la etapa del precaminado: comenzará con paseos alrededor del sofá o de una mesa y continuará dejando "su rastro inconfundible" por todas partes. Aprenderá a subir escaleras pero aún no a bajarlas. Por lo tanto, es importante que tengas todos los cajones cerrados y asegures los objetos en los que pueda encaramarse; ten en cuenta que aún los sitios más insólitos podrán ser para él de sumo interés.

Por otra parte comienza a entender el concepto de "desaparecer"; por lo tanto, jugar a esconderse le encanta: inmediatamente empieza a buscar.

El bebé es este momento más independiente, pero necesita saber que tú estás cerca y las cosas marchan bien.

La llegada del papá es todo un acontecimiento novedoso para él. Sin embargo se desconcierta cuando éste le exige el acatamiento de ciertas normas; periodos más largos para compartir con el padre le harán entender que éste no solo se encuentra para el juego.

Pueden aparecer algunos miedos, como por ejemplo a la licuadora, a la aspiradora, etc., a las que antes ni les ponía atención. Enséñale con acercamientos paulatinos de qué se trata. Así tendrá control sobre estos temores.

Es en esta edad en que *algunos* niños se golpean la cabeza contra el piso o contra las paredes, golpes que van generalmente acompañados de movimientos de mecedora (hacia adelante y hacia atrás); todavía no se conoce el origen de este comportamiento que desaparece en meses posteriores. Estudios revelan que las ondas cerebrales son normales, no aparecen fracturas ni daños cerebrales. Sin embargo, es importante que se lo menciones al pediatra, quien te dará las pautas para su manejo.

Características de desarrollo

Desarrollo motor

En este mes se hace mayor su facilidad para gatear. Al final del mes incluso podrá detenerse, levantar una mana y seguir, al igual que dar vueltas fácilmente. Aprende a introducirse por debajo de las mesas y las sillas, a subir solo escalones que no sean muy elevados, y en general a ejercitar todo su cuerpo.

Ya se sienta bien en un asiento, permaneciendo, períodos mayores a diez minutos. En esta posición se estira para alcanzar objetos. Haciendo un esfuerzo puede llegar a sentarse por sí solo.

De pie, sostenido de un mueble, al finalizar el mes, podrá movilizarse dando pasos hacia los lados, y aun darle la vuelta.

Sus movimientos comienzan a ser más finos. En este mes deja suavemente un objeto sobre la mesa, e inserta cosas en un agujero. Ya mueve objetos circulares o cilíndricos haciéndolos rodar con la mano. Utiliza el índice para señalar; los objetos pequeños los toma con el índice y el pulgar; los objetos grandes con ambas manos. Recoge y manipula dos objetos, uno en cada mano. Para obtener el tercero tendrá que soltar alguno de los dos anteriores. Puede construir una torre con dos bloques. Aplaude y golpea objetos al nivel del centro de su cuerpo. Te tenderá un objeto, pero no lo soltará.

Desarrollo cognoscitivo

Hasta el mes anterior tu hijo era capaz de actuar intencionalmente sobre un objeto, para crear un efecto o una respuesta dada. Hacia los nueve meses, actuará de manera distinta sobre los objetos, esperando efectos diversos y más complejos. Hacia el final del mes, será capaz de manejar un instrumento primitivo (un palo, una caja, una pelota) y resolver una tarea sencilla dando un rodeo. Por ejemplo, comienza a utilizar objetos para atraer otros: es el caso cuando halan el mantel para obtener la manzana que hay encima. Este uso de instrumentos significa una expresión del pensamiento, demuestra que ha comprendido la relación entre los dos objetos y se sirve expresamente de uno para obtener un resultado sobre los otros.

A esta edad podrás observar también cómo resuelve problemas sencillos de desviación. Si colocas obstáculo entre él y su juguete, primero querrá obtener el juguete a través del obstáculo, pero muy pronto lo esquivará e irá por lo que busca.

Demuestra interés por los objetos huecos, que inspecciona cuidadosamente a través de su juego. El niño todavía aprende más por imitación que por un proceso cognoscitivo mayor.

Descubre un juguete que ha sido escondido en su presencia. Aumenta el aburrimiento con la repetición de un mismo estímulo; puede recordar el juego del día anterior; mantiene una serie de ideas en su mente; anticipa la recompensa de un suceso llevado a cabo en el momento de una orden; puede seguir algunas instrucciones sencillas; aparece el miedo a la altura y la precaución hacia espacios verticales. Comienza a decir “mamá”, “papá”, como nombres específicos.

Entiende ahora que personas y objetos tienen una existencia diferente.

Desarrollo del lenguaje

Pronuncia sílabas como *ta, pa, ma, ba*, y articula algunas palabras por imitación.

Desarrollo auditivo

Oye con mayor atención conversaciones y canciones.

Desarrollo táctil

Una forma de investigar y, por lo tanto de entender objetos con aberturas como son las cajas, cajones, etc. será palpando el interior con sus manos.

Desarrollo socio-afectivo

En este mes es sumamente alta su necesidad de reconocimiento y aprobación, presenta espectáculos para las personas que lo observan y repite actividades que le son aplaudidas.

Inicia juegos y se interesa por los de otras personas; selecciona el juguete de mayor interés y pelea por el que quiere. Comienza a defender lo suyo y sus posesiones.

Empieza a evaluar los estados de ánimo de las personas y sus emociones. Se presenta muy sensible ante los otros niños: si ellos lloran, él también lo hará.

La imitación de palmoteos y movimientos de cabeza la hará con mayor intención. De igual manera, imita toses, sacar la lengua, silbidos, etc. Querrá jugar siempre al lado tuyo.

Come, él solo, galletas y alimentos similares; sostiene su biberón y aprende a beber en taza.

Intervención general

En este mes el niño tendrá una mayor facilidad de desplazamiento y, por lo tanto, su curiosidad hacia el medio ambiente aumenta; se mantendrá alerta e independiente. Por lo tanto es el momento de estimularle su actividad de investigación, ayudarle a satisfacer su necesidad de conocer las cosas como tales y por su funcionalidad. Comienza dándole bolsas (que no sean de plástico), carteras y envases que se abran de distinta manera (cremalleras, botones, velcro, etc.) y coloca dentro juguetes que llamen la atención del niño y lo lleven a abrirlos solo, y a introducir y sacar objetos.

Incluye en sus juegos plastilina no tóxica y enséñale que ésta puede adoptar diferentes formas y tamaños; de esta manera le estarás dando la oportunidad al niño de ver que a través de su manipuleo se puede alterar la estructura de un objeto. Esta es la base de las actividades creativas.

En cuanto al área motriz, estimula su movimiento de gateo. Al colocarlo en el corral, déjalo siempre sentado: si se cae, él mismo recobrará el equilibrio. Dale objetos redondos, llevándole las manos hasta cuando lo agarre. Ayúdalo a pararse afirmándose en algo o alguien; sujétalo para que dé pasos. Un pequeño banco puede serte útil. Si no lo tienes puedes hacerle uno de quince centímetros de cartón paja, relleno de papel para que no se hunda. Se convertirá en un gran equipo de gimnasia.

Coloca una serie de objetos frente al niño y pídele que te los entregue. Tiende la mano y espera a que te los ponga en ella. Esto le enseñará a guiar su mano hacia el objetivo. En un comienzo tendrás que coger tú el objeto, puesto que soltar lo que tiene deliberadamente le resulta todavía muy difícil.

Al darle los alimentos, enséñale a coger utensilios, tales como taza, cuchara, etc.; ayúdalo a llenar la cuchara de comida; y deja que meta los dedos en la comida, ya que esto le ayudará a asociar la textura con su sabor y el olor.

Después del baño, cuando lo estés secando, dale a él también una toalla y dile que se seque. Muy seguramente tratará de hacerlo en su cara imitando el frotado. Aprovechando estas actividades rutinarias podrás aumentar su vocabulario. Ten en cuenta lo siguiente: a) nombra siempre aquello que atraiga la atención del niño. b) utiliza siempre la misma palabra o expresión para designar lo que estás haciendo. c) selecciona un número limitado de palabras y repítelas con frecuencia y de manera apropiada, con el fin de no sobrecargarlo con demasiadas tareas nuevas.

Al principio enséñale a responder a órdenes muy sencillas, como "siéntate", "abre la boca", "dame la mano", etc.

El niño aprende mejor las palabras activas cuando forman parte ya de su lenguaje pasivo, es decir cuando las comprende. Por ejemplo, enséñale que una vaca hace "muu" sólo cuando sepa ya lo que es una vaca y sea capaz de señalarla en un dibujo.

Otro consejo que te damos es que le ayudes a crear las palabras a partir de las sílabas que ya pronuncia. Si el niño balbucea "ta-ta-ta" o "ya-ya-ya", procura crear una palabra (tata) que signifique por ejemplo "abuela" utilizando esas sílabas sin sentido.

Es muy importante que el niño entienda lo que se le dice. Háblale con frases sencillas y, muéstrale lo que tú haces.

Le gusta jugar juegos sencillos con los de su familia como "atrápame que te voy a agarrar". Al final del mes, comenzando el décimo, le podrás jugar a adivinar en que mano esta el objeto.

En el caminador el niño tiene las dos manos disponibles, mientras que cuando está caminando si acaso tendrá una sola. Por lo tanto, si está en el caminador, las manijas de las ollas en la cocina deben estar volteadas hacia la pared; no dejes cuchillos por ahí; fríjoles o arvejas se los puede meter en los oídos o en la nariz; los aparatos electrodomésticos desconéctalos mientras no los usas. Indícale que los quemadores son calientes y hacen daño. En el jardín o con las plantas de la casa, ten cuidado porque algunas son venenosas. Estos, y otros más, son los cuidados que debes tener en tu casa.

El niño necesita sentir consistencia, seguridad y convicción en tus actitudes dentro del comportamiento, para poder de igual forma conformar el suyo y resistir todas las frustraciones, todas las negativas que seguirán llegando. Algunas pataletas que puedan presentarse pueden ser manifestaciones de frustración debido a tantas negativas. Una forma de infundir esa seguridad y apoyo que necesita el niño es *evitando conductas que proyecten temores, compasión o indiferencia.*

El niño que ha sido amamantado podrá pasar a la taza. El pediatra te dirá cómo proceder. Si dejas de amamantar el niño te buscará más, se te acercará, se te sentará al lado pidiendo que lo consientas. Si lo has alimentado con biberón y el bebé demuestra poco interés por él, podrá ser el momento de considerar quitárselo; sin embargo, es posible que el interés reaparezca. En estos casos es mejor acudir al consejo del pediatra. En definitiva, quien decide viene a ser el niño. No hay ninguna necesidad de apresurar al bebé a quitárselo hasta que él no esté preparado.

En este mes puede hacer sus necesidades en el baño si se le lleva a tiempo. Sin embargo, es muy poco probable que el niño vaya a dejar sus emocionantes aventuras para avisar que quiere ir al baño. Las primeras dos veces le va a parecer algo interesante, pero después ya perderá interés y no entenderá qué es lo que quiere la mamá. Después de todo, tendrá que esperar por lo menos un año para controlar sus esfínteres.

Estimulación directa

Los ejercicios, de este mes en adelante hasta el duodécimo, se harán con una frecuencia aproximada entre ocho y doce veces cada uno. Te recordamos que habrá algunos ejercicios como hablarle, cantarle, sonreírle, etc. que no requieren de una frecuencia determinada sino que dependerán únicamente de la disponibilidad tanto del niño como de la madre.

Estimulación motriz

Debido a que en este mes ésta es el área más importante, a ella dedicaremos la mayor parte de nuestro trabajo.

1. OBJETIVO: Ejercitar el gateo entre obstáculos.

a) Distribuye en el suelo cajas de cartón, sillas, mesas y otros objetos, haciendo caminos hacia la derecha y hacia la izquierda, de modo que si el niño quiere buscar un juguete, tenga que gatear entre los obstáculos moviéndose de un lado a otro. Esta flexión de la columna vertebral hacia ambos lados es muy saludable. (Figura No. 27).

b) Lo anterior puedes repetirlo pero haciéndolo gatear por debajo y a través de objetos. Primero ayúdalo a que lo haga a través o por debajo de espacios grandes y, poco a poco, por espacios más pequeños para acostumbrarlo a protegerse la cabeza contra los golpes. Este ejercicio también le servirá para ejercitar los músculos dorsales.

Figura No. 27

2. OBJETIVO: Reforzar el gateo para subir un escalón.

a) Lleva al niño hasta un escalón, a un banco bajo o a una caja y hazlo subir. Primero verás que se limita a apoyarse en el obstáculo con los brazos hasta que descubra que tiene que alzar la pierna lo suficientemente alto para apoyar la rodilla y luego subir la segunda rodilla. Le tendrás que ayudar al principio, levantando su rodilla. El descubrirá la técnica necesaria para trepar.

3. OBJETIVO: Entrenar al niño para bajar de una altura.

a) En un comienzo, los niños intentarán bajarse de una altura con la cabeza por delante, con el peligro consiguiente de caer sobre ella. A menudo gatean a lo largo de la cama y no se detienen al llegar al borde. Enséñale a detenerse al llegar al extremo, a dar la vuelta y a bajar empezando por los pies. Para ello, colócale sobre la cama con los pies en el borde. Apoya las manos en sus hombros y empújale poco a poco hasta que toque el suelo con los pies. Repite el ejercicio varias veces ayudándolo cada vez menos, teniendo en cuenta que no se vaya a caer. Al cabo de un tiempo aprenderá a darse la vuelta por sí mismo.

4. OBJETIVO: Desarrollar la facilidad de ponerse en pie independientemente junto a una pared lisa.

a) Después que el niño ha aprendido a ponerse de pie con ayuda de un mueble del que se puede agarrar, ponlo al lado de un mueble o una pared lisa y anímalo para que haga lo mismo, de modo que le sea posible apoyarse, pero no asirse de nada. Lo podrás atraer colgándole en la pared un muñeco o una llave en el mueble. (Figura No. 28).

Figura No. 28

5. OBJETIVO: Entrenar la transferencia del peso del cuerpo de un pie al otro.

a) Lleva al niño de pie frente a un mueble de donde pueda agarrarse (puede ser una cama) y coloca un juguete fuera de su alcance a unos quince centímetros a la derecha. Se inclinará hacia él y transferirá todo el peso de su cuerpo al pie derecho y levantará el izquierdo. Cuando haya alcanzado su juguete y jugado con él, coloca otro hacia la izquierda para que repita el ejercicio hacia el otro lado. (Figura No. 29).

b) Llevándolo de las manos, otra persona debe sostener una pelota colgada de una cuerda frente a él, lo suficientemente cerca como para que pueda accidentalmente darle una patada. Pronto empezará a patearla voluntariamente. Ofrécele la oportunidad de darle patadas alternando las piernas.

6. OBJETIVO: Estimular el juego de tocar el tambor.

a) Dale al niño un tambor junto con sus baquetas y enséñale a tocarlo. Dale primero una de las baquetas para que lo percuta alternando las manos. Hará movimientos simétricos, golpeará y alzará las baquetas a la vez, ya que no aprenderá a golpear primero con una mano y luego con la otra hasta el cuarto trimestre.

Estimulación cognoscitiva

1. OBJETIVO: Estimular la creación de efectos distintos sobre el mismo objeto.

a) Trata de producir situaciones en las que un movimiento produzca un efecto determinado, mientras que un movimiento diferente dará lugar a otro resultado. Dale al niño un pedazo de papel y muéstrale que con un movimiento lo arrugarás, mientras que con otro lo extenderás. Para romperlo también se necesitará un movimiento distinto. Esto también lo puedes hacer con un pedazo de manguera de goma (o plastilina). Hazle ver al niño que cuando la toma de los extremos y abre los brazos, la goma se estira; si une los extremos formará un anillo; con otros movimientos puede envolverla en un brazo, etc. Con una bolsa de plástico y varios objetos pequeños en su interior, verá que con ciertos movimientos los objetos se irán a la izquierda; que con otros, a la derecha; otros la convertirán en sonajero; etc.

2. OBJETIVO: Inducir al niño al descubrimiento del objeto.

a) Siéntate con el niño y coloca, en el piso o en la mesa, tres cajas de tamaño mediano boca abajo. Mete una canica debajo de una de ellas y cámbialas de sitio, para que el niño no sepa en cuál quedó. Pregúntale después: "¿dónde está la canica?". Levanta las dos primeras cajas y ve diciendo: "aquí no está". Cuando llegues al tercero di: "aquí está la canica" y ríete con el niño. Pronto empezará él también a levantar las cajas y te mirará triunfante si encuentra la que tiene la canica. Repítelo varias veces.

3. OBJETIVO: Desarrollar la facilidad para hacerse a un objeto por medios indirectos.

a) Hacia el final de este mes ya el niño aprenderá a acercarse a un objeto por un camino indirecto. Para estimular la solución de este tipo de problemas coloca al niño de pie a un lado de la cama y del otro un objeto altamente estimulante para el niño. En un comienzo extenderá sus brazos y tratará de agarrarlo directamente, a través de la cama. Lo más posible es que le lleve algún tiempo encontrar una solución distinta, o sea, dar la vuelta a la cama. Esto no se debe sólo a que todavía le cuesta trabajo desplazarse de un lado a otro, sino, especialmente, al hecho de que tiene que apartarse primero del juguete para aproximarse a él por otro lado. Quizás tengas que llevarlo varias veces alrededor de la cama hasta que se dé cuenta de que ésta es la única solución para lograr su propósito. Es un ejercicio difícil debido a que a su edad todavía no sabe caminar, y al agacharse para gatear pierde de vista el objeto y el sentido de la orientación. Se le facilitará si le colocas como obstáculo un objeto transparente.

Estimulación del lenguaje

1. OBJETIVO: Trabajar en ejercicios a partir de indicaciones verbales.

a) Uno de los mejores momentos para el desarrollo del vocabulario pasivo son los ejercicios que realizas diariamente con tu hijo. Cuando esté boca arriba y le ofrezcas los dedos para ayudarlo a incorporarse, dile "arriba" y "abajo". Con el tiempo, hará el ejercicio mediante la simple indicación verbal.

2. OBJETIVO: Enseñarlo a llamar a papá.

a) Alza al niño y haz que papá se siente al frente de él y se coloque el periódico tapándose la cara.

Figura No. 29

Tú le dirás: "llama a Papá"; ayúdale diciendo e indicando al mismo tiempo donde está: "papá". Cuando él diga "papá", el padre se destapará la cara y exclamará: "aquí está papá"; el niño responderá alegremente. Repite este ejercicio tres a cuatro veces escondiendo a papá detrás de otros objetos.

3. OBJETIVO: Enseñar a llamar a los animales.

a) Sienta a la mesa contigo al niño. Coloca tres cajas boca abajo sobre la mesa. Pan debajo de cada una de ellas un juguete diferente que represente un animal, por ejemplo una vaca, un perro y un gato. Luego dile "llama al perro, guau, guau"; cuando el niño diga "guau", levanta la caja que

esconde al perro. Luego dile que llame al gato "miau, miau" y a la vaca "muuu". Repite el juego varias veces. En un comienzo no cambies el orden de las cajas; cuando esté ya nombrando a los animales con frecuencia suficiente, reemplázalos por otros animales.
Observación: si el niño todavía no dice exactamente "guau" o "miau" pero ya tiene algún sonido similar que identifique al perro o al gato debes tenérselo en cuenta para el ejercicio.

Estimulación auditiva

1. OBJETIVO: Aprender a diferenciar el ritmo.
   a) Pon música y, tanto tú como el niño, llevarán el ritmo aplaudiendo. Guíalo haciéndolo en un comienzo en forma exagerada.

2. OBJETIVO: Estimular respuestas a solicitudes verbales.
   a) Entrena al niño en diversos juegos y movimientos como respuesta a solicitudes verbales. Por ejemplo: "Haz palmaditas", "Di adiós". En el momento en que el niño entiende qué significa decir "adiós", "dar palmaditas", etc., comenzará a hacerlo cada vez que se lo pidas.

3. OBJETIVO: Entrenar al niño en la localización del sonido.
   a) Entrégale al niño un juguete que haga algún tipo de sonido; es posible que se asuste en un primer momento, pero después relacionará el sonido con el objeto.
   b) Toca una campana en algún lugar de la habitación y pregúntale al niño "¿dónde está la campana?". Este tipo de ejercicios le ayudarán a asociar la relación que existe entre el sonido y las distancias.

Estimulación táctil

1. OBJETIVO: Reforzar la diferenciación de texturas.
   a) Dale al niño una caja de cartulina: pronto descubrirá que la cartulina se puede doblar, romper y rasgar. Luego, a otro pedazo de cartulina del mismo tamaño que el anterior, échale goma y encima de ésta, arena o tierra. Entrégaselo para que lo manipule de igual forma, indicándole en un comienzo la diferencia con la anterior.

2. OBJETIVO: Estimular el juego de estirar y clavar cosas en la masa.
   a) Si tienes masa de hornear, o simplemente plastilina no tóxica, entrégale un poco en forma de bolas y enséñale a estirarla hasta romperla; haz que pase su mano suavemente sobre la masa diciéndole "suave", luego indícale cómo podemos clavar ramas o palitos (con punta redonda) bien pequeños en ella. Llévale sus manos de nuevo sobre la masa con los palitos y dile "pica".

Estimulación socio-afectiva

1. OBJETIVO: Establecer contactos de manera activa

a) El papá y la mamá se ubicarán a un lado del niño sin mirarlo y comenzarán una actividad como puede ser echar objetos en un cubo y luego vaciarlo. El niño gateará hacia ellos, los observará primero y luego querrá unirse a su actividad.

2. OBJETIVO: Motivar al niño para que utilice a otra persona como instrumento.

a) Coloca un juguete fuera del alcance pero visible para el niño; tú te ubicarás cerca de tu hijo pero dándole la espalda. Después de intentar varias veces tomarlo, tratará de llamar tu atención para que le ayudes.

3. OBJETIVO: Desarrollar el conocimiento del "sí" y el "no".

a) Siéntate, con el niño en tu regazo, junto a la mesa y coloca sobre ésta dos objetos dejándolos a su alcance: uno será un juguete y el otro algo inapropiado como, por ejemplo, unas tijeras o unos fósforos. El niño observará ambos objetos y tomará uno de ellos. Si fue el juguete el que tomó, asiente tu cabeza y dile: "sí, toma el perro". Pero si trata de tomar los fósforos, haz el movimiento negativo con tu cabeza y dile: "no, no, los fósforos no" y ponlos fuera de su alcance. Los movimientos de la cabeza deben ir acompañados, en el caso de "sí", de una sonrisa; y en el caso de "no", de un fruncimiento de cejas.

. . . .

Programación Semanal de Estimulación
Noveno mes

Áreas de estimulación \ *Días*	*Lunes*	*Martes*	*Miércoles*	*Jueves*	*Viernes*	*Sábado*
Estimulación motriz	1a; 3a; 6a	1b; 2a; 3a	4a; 2a; 6a	1b; 2a; 6a	1b; 3a	2a; 6a
	4a	4a; 5b	5a	4a	5a	5b
Estimulación cognoscitiva	1a, con varios instrumentos	1a	1a		1a	1a
	2a	3a	2a	3a	2a	3a
Estimulación visual	1a	2a	1a	2a	1a	2a
Estimulación auditiva	3a	1a	2a	3a	1a	2a
		3b		3b		3b
Estimulación táctil	1a	2a	1a	2a	2a	1a
Estimulación olfativa						
Estimulación del lenguaje	1a; 2a	1a; 3a	1a; 3a	1a; 3a	1a; 3a	1a; 2a
Estimulación socio-afectiva	2a	3a	1a	2a	3a	1a

* La línea punteada te indica que los ejercicios se dividen en dos: los de la parte superior para las primeras semanas y los de la parte inferior para las últimas.

Resumen del Noveno mes

Peso	*Medida*	*Desarrollo físico*	*Desarrollo sensorio motor*	*Desarrollo intelectual*	*Desarrollo social*	*Juguetes*
Niño 9.3 kg Niña 8.5 kg	73.0 cm 70.5 cm	Gatea con una mano ocupada o levantada. Puede subir escaleras gateando. Se sienta correctamente en una silla. El mismo es capaz de sentarse sin tener que hacer gran esfuerzo y se mantiene sentado por largo tiempo. Puede comenzar a tratar de dar sus primeros pasos apoyándose en los muebles. Los problemas con el sueño pueden deberse a querer pararse en la mitad de la noche.	Palmotea con sus manos (aplaude) o golpea los objetos al centro de su cuerpo. Recoge y manipula dos objetos cada uno en una mano. Deja caer uno de los dos objetos para coger un tercero. Puede hacer una torre de dos bloques. Se acerca a un objeto pequeño con el índice y el pulgar. Los objetos grandes los agarra con las dos manos. Escucha conversaciones y tonos de cantos. Es capaz de comerse una galleta (él solo) y sostener el tetero. Utiliza la manija de la taza para manipular y tomar de la misma. Inserta cosas en un agujero grande. Mueve objetos circulares	Reconoce las dimensiones de los objetos. Descubre un juguete que haya sido escondido en su presencia. Se aburre con la repetición de un mismo estímulo. Puede acordarse de un juego del día anterior. Anticipa recompensa por la exitosa terminación de un acto o de una orden. Puede mantener una serie de ideas en su mente. Puede seguir instrucciones muy sencillas. Le dan miedo las alturas; es consciente de la verticalidad del espacio. Puede hacer el papel de fastidioso; muestra pensamiento simbólico. Puede decir mamá y/o papá como nombres específicos.	Vive ansioso de ser aprobado. Comienza a evaluar los estados de ánimo de las personas y las causas. Inicia el juego. Escoge deliberadamente un juguete para jugar. Puede ser sensible hacia otros niños; llora si ellos lloran. Puede aprender a protegerse él mismo y sus posesiones; puede pelear por un juguete en disputa. Imita los sonidos de la lengua. Debuta para la audiencia familiar y repite el acto si es aplaudido. Quiere jugar cerca a su madre.	Frascos de plástico. Cajas vacías. Barril inflable lleno de juguetes. Juguetes que rueden. Caminador. Juguetes para encajar. Juguetes de apilar.

Registro de Evaluación Mensual

Semanas / *Áreas de desarrollo y estimulación*	*Primera*	*Segunda*	*Tercera*	*Cuarta*
Desarrollo y estimulación motriz				
Desarrollo y estimulación cognoscitiva				
Desarrollo y estimulación auditiva				
Desarrollo y estimulación del lenguaje				
Desarrollo y estimulación socio-afectiva				
Desarrollo y estimulación quinestésica				

Anotaciones para el próximo mes:

____

____

____

____

____

____

____

Décimo Mes

Introducción

¿Cuántas veces la mamá de un niño gateador dice "no"? Es mejor que ni las cuentes porque podrán pensar que está siendo demasiado estricta. Sin embargo, tienes que ponerle límites y prevenirlo de accidentes. El niño podrá repetir tus negativas y hasta imitarte en el movimiento de cabeza, pero esto no quiere decir que haga caso o que él no lo detenga. Está en un conflicto entre tomar y dejar, entre satisfacer su curiosidad o satisfacer al mismo tiempo a sus padres.

Las escaleras le siguen atrayendo en forma especial. Se preocupará sólo cuando esté arriba y únicamente hallará una solución para bajar hasta dentro de un mes.

Podrá erguirse pero todavía apoyado. Algunos ya dan pasos solos, lo que constituye una gran aventura pero exige grandes habilidades de coordinación y equilibrio. No es conveniente que lo pongas a caminar hasta cuando no esté totalmente preparado.

Sabe dónde está un objeto aunque esté escondido. Anticipa también eventos mucho mejor que antes: por ejemplo, sabe que ya está la comida por el olor, que tú te vas cuando tomas la cartera, etc. Aprendiendo de la anticipación él también estará aprendiendo a esperar, lo cual no quiere decir que lo vaya a hacer por mucho tiempo o con mucha paciencia.

Le encantará mirarte hacer los oficios de la casa u observar una obra en construcción, ya que ambas tienen múltiples actividades.

En lo que tiene que ver con el desarrollo del lenguaje, su comprensión es notoriamente mayor. El niño estará en capacidad de imitar uno o dos sonidos de animales. Su comprensión de sonidos y gestos es mayor: si, por ejemplo, tú le dices "muéstramelo", él señalará los diversos objetos que le pidas; es de advertir que este logro lo mostrará con los suyos y muchas veces se negará a hacerlo delante de desconocidos.

Igualmente, entiende órdenes como "levanta las manos" en el momento en que lo estás vistiendo; pero con lo que no le interese será terco y poco colaborador.

Respecto a sus hábitos de sueño, estos se mantienen constantes. Sin embargo, es importante anotar que varían mucho de un bebé a otro. Si el niño está teniendo problemas para conciliar el sueño, antes de dormir relájalo aprovechando una mecedora o leyéndole un libro. Este tiempo extra que le dedicas se verá recompensado con un sueño tranquilo.

El juego es el mejor instrumento para lograr una amistad con tu bebé. En este mes le sigue gustando el de "¿dónde está el nené?", escondiéndote o poniéndole las manos frente a su cara.

Características de desarrollo

Desarrollo motor

Como vimos, en este mes la mamá comenzará a tener que decir continuamente *no* al niño por su inquietud y curiosidad. Encontraremos un niño que gatea con agilidad; se pone de pie con apoyo; da pasos con ayuda; empieza a andar de lado alrededor de los muebles; y, al final del mes, puede llegar a levantarse por sí mismo enderezando sus pies y manos y empujándose hacia arriba con la ayuda de sus palmas. Gateará por encima y por debajo de los muebles; si está de pie se sentará; en esta última posición, se inclina y voltea con facilidad.

Sus habilidades en motricidad fina son más coordinadas; puede diferenciar el uso de las manos: mientras con una sostiene algo, con la otra manipula un objeto. Sostiene dos pequeños objetos en una sola mano, los puede soltar voluntariamente pero de manera brusca y torpe. Le interesará sacar y meter cubos de un recipiente; ya podrá extender una tela doblada; abre las cajas y las vacía; y saca las llaves de una cerradura. Mete sus dedos en todo lo que tenga una abertura o agujero. Comienza a preferir una mano y un lado del cuerpo: podemos decir que ya es diestro o zurdo.

Desarrollo cognoscitivo

El niño anticipa ya eventos más complejos, ya comienza a entender muy bien la relación entre acción y reacción y sabe aplicar este conocimiento. Si se le guía convenientemente, comprenderá la mayoría de las cosas relativas a situaciones familiares. Es, por ejemplo, el caso de ayudarle a ver que cuando se oprime el timbre, suena.

Su concepción de la realidad se acerca más a la de los adultos: las cosas siguen existiendo para él aunque no estén presentes físicamente.

En juegos de meter un objeto (por ejemplo, una moneda) en un orificio pequeño (el de una alcancía), intentará empujar de un lado a otro hasta que la moneda caiga por casualidad al interior.

Busca juguetes que han sido escondidos en su presencia. Los buscará en el mismo lugar aunque él los haya visto esconder en distintos sitios. Señala partes de su cuerpo al pedírselo. Aumentan sus conductas por imitación: por ejemplo, se refriega con el jabón, alimenta a los demás, etc.

Comienza a distinguir entre palabras sencillas que se oyen de forma muy similar, realizando un ajuste diferencial. Entiende y obedece algunas palabras u órdenes.

Desarrollo del lenguaje

En este mes aumentan sus habilidades verbales. Sin embargo, muchos estarán centrados en la acción motriz y es posible que por esto su avance no se haga muy notorio.

Aparecen las consonantes, comenzando con guturales posteriores: *que, k, ke*. Se empieza a fijar desde el comienzo que los "no" son definitivos trata de imitar sonidos atendiendo a la boca de ellos. Las vocalizaciones están mezcladas con sonidos de juego, como los gorgoritos o el hacer pompas.

Unas veces grita, otras balbucea; está ensayando los diferentes tonos de su voz.

Se le comenzará a oír decir "pum", cuando él o un objeto se caiga; nombrar dos o tres animales por su sonido, "guau", "muu", "miau".

Desarrollo visual

Su sentido de perspectiva se ha desarrollado suficientemente como para diferenciar "grande" y "pequeño" en relación a "cerca" y "lejos". Comienza a ver objetos individualmente dentro de un todo.

La actividad visual "silenciosa" es muy importante desde esta edad hasta los tres años, ya que pasará el veinte por ciento del tiempo simplemente "mirando". Le interesará mucho todo aquello que se mueva; como ya dijimos, no hay nada más entretenido para ellos que llevarlos a ver la construcción de una obra.

Sus ojos presentan convergencia frecuentemente.

Desarrollo auditivo

Responde a la música balanceándose, salta y trata de tararear. Si está bien parado y sostenido de algo, intentará dar pasos para adelante y para atrás.

Desarrollo socio-afectivo

Está consciente de cuáles son los miembros de la familia y le fascina jugar con ellos. Su juego preferido sigue siendo el de esconderse y aparecer. Repite actos que le causen gracia a otros. Cada vez es más ingenioso para inventar maneras de llamar la atención. Pone interés en las conversaciones de las personas que lo rodean.

En un principio, ante la presencia de un extraño se esconde. Si le pides al niño que señale un objeto lo hará, siempre y cuando esté en la seguridad de su casa y rodeado de los miembros de su familia.

Aunque es cooperativo, puede ser testarudo con lo que no le interesa; habrá también muchos cambios de humor. No resiste la tentación de lo prohibido, demostrando su felicidad cuando logra obtener el objeto que le ha sido negado; ya es consciente de lo que significa un "no" aunque todavía no le afecta del todo. Sin embargo, al ser regañado se pondrá bravo. Este es el momento en que la madre tiene que ser firme ya que el niño tiene que aprender desde el comienzo que los "*no*" son definitivos e irrebatibles.

Comienza a darse cuenta que los adultos pueden serle útiles. El interés por niños mayores es más grande que por los de su misma edad. Utiliza a la madre como un refugio cuando se siente apenado y expresa su afecto agarrando fuertemente de sus ropas. Sus sentimientos acerca de las personas son expresados más claramente.

Intervención general

Si el niño está un poco retrasado en gatear o en actividades motrices, puede ser que haya estado interesado en actividades verbales, estudiando los detalles de sus juguetes, etc. y no se encuentra interesado en la actividad motriz. Usualmente estos niños empiezan las actividades más tarde. Casi siempre parece que estuvieran guardando energía y estudiando los procesos para la primera levantada. Cuando lo hacen, el tiempo de aprendizaje y práctica es mucho más corto que los que comenzaron más temprano, y en unos días alcanzarán el nivel requerido.

Permanentemente se le dirá al niño "no hagas, no toques, no agarres", etc. Pasarán muchos meses para que éste pueda asentir con un *sí* de la cabeza. Paciencia y firmeza, mezcladas con perseverancia, son la única forma en que puedes llevar al niño al autocontrol momentáneo. El niño debe aprender que hay cosas que no son debatibles.

Permite que el niño juegue con sus hermanos o con otros niños de su misma edad; haz que comparta sus pequeñas posesiones asegurándote que los demás niños hagan lo mismo con él. En las reuniones familiares haz que él esté presente: de esta forma entenderá que hace parte de un grupo familiar y se irá integrando al mismo.

Recuerda lo que se dijo en el mes anterior: no monopolices al niño en esta etapa. Recuerda que el mundo se extiende mucho más allá del núcleo familiar y el bebé debe estar expuesto a esta realidad desde pequeño.

El se encuentra asimilando conocimientos. Repite ciertas palabras pero no te olvides de las que ya conoce, y poco a poco ve incorporándole nuevos vocablos. Regálale cajas vacías y objetos que no ofrezcan peligro, pero que sean del uso diario de la casa.

Habrá momentos en que preferirá estar solo, jugando con los objetos que le son familiares. Respétale este tiempo ya que esto le sirve para experimentar y aprender cosas por sí mismo.

Es una buena época para que entre en contacto con un animal domestico. Haz que lo toque, que perciba la textura de su piel, pronuncie en voz alta el nombre del animal e imite el sonido que hace (*guau, guau; miau, miau*).

Las toallas ya no permanecerán en el toallero; no hay juguete más fascinante que el inodoro ya que se le pueden echar cosas, revolver el agua, taparlo, etc. Hasta que no esté en edad de poder abrir las puertas, lo mejor es clausurar los baños.

Es buena idea darle un cuarto o parte de uno, donde pueda hacer lo que quiera y tener sus propios juguetes, especialmente si tiene un hermano para que no haya peleas. Su cuarto debe tener estanterías, canastas y cajas abiertas. El baúl todavía no es recomendable por la tapa.

Sin importar qué tan extensa sea la gama de juguetes, el primer par de zapatos suaves se convierte en su juguete principal. El cuero le proporciona un nuevo sabor y además se entretiene halando los cordones.

Para ayudarlo con los temores a personas y lugares desconocidos, es bueno llevarlo más frecuentemente contigo a hacer compras y diligencias.

Permite que el niño pase más tiempo en el suelo. Si en tu casa tienes jardín, colócalo sobre la hierba limpia; ofrécele balones de plástico o de goma, ya que es la edad en que se fascinan con ellos.

Recuerda encender el radio todos los días por períodos moderados: notarás cómo el niño comenzará a moverse rítmicamente.

Cuando vayas en el automóvil abre un poco su ventana para que perciba el viento y su sonido.

En el momento en que limpies el polvo, dale al niño un trapo para que te ayude: este movimiento le ayuda para ejercitar su motricidad fina.

Con respecto a las frazadas, éstas son como el reemplazo de su madre: por lo tanto, es importante comprender su significado y aceptarla mientras la requiera. Le ayudará a adaptarse al mundo mientras lucha por emanciparse de aquella persona de quien todavía depende bastante, de ti. Para él este proceso no es fácil y le generará una serie de conflictos ante los cuales la frazada le proporcionará tranquilidad.

Dale la oportunidad de reconocer los contrastes: para que se dé cuenta que su madre lo quiere, tiene que experimentar el sentimiento opuesto, advertir que también tú puedes cansarte cuando él no tiene el comportamiento adecuado.

Estimulación directa

Estimulación motriz

1. OBJETIVO: Estimular en el niño todos los intentos de erguirse y caminar.

a) Deja al niño apoyado en una cama o mueble y llámalo cada vez desde más lejos mostrándole su juguete preferido. A medida que va dando cada paso apláudele y dile: “muy bien”.

2. OBJETIVO: Entrenar al niño en dar pasos hacia adelante.

a) Una vez el niño ya ha aprendido a andar a lo largo de un mueble, puedes comenzar a llevarlo tomándolo por las manos. Sitúate detrás de él, sujeta sus manos, empújalas ligeramente hacia adelante y el niño empezará a dar pasos. Poco a poco disminuye tu ayuda y deja de guiarle. (Figura No. 30).

3. OBJETIVO: Ejercitar la acción de dar pasos hacia adelante apoyado de un mueble con una mano y con la otra de su madre.

a) Pon al niño al lado de la cama: se apoyará en ella y te dará la otra. Camina lentamente hacia adelante. El niño conservará el apoyo de tu mano, pero tendrá que levantar la otra para buscar apoyo de nuevo. Poco a poco podrá caminar sostenido sólo de tu mano. (Figura No. 31).

4. OBJETIVO: Estimular los movimientos de precisión.

a) Entrégale cajas de cartón y enséñale a colocarle las tapas; luego enséñale a abrirlas.

b) Dale al niño una botella, preferiblemente plástica, y enséñale cómo poner y quitar un tapón de corcho de la misma. Tendrás que sostener al principio tú la botella a fin de que el niño pueda concentrarse en el trabajo de su mano y no se vea obligado a sujetar el objeto al mismo tiempo.

5. OBJETIVO: Ejercitar movimientos de la mano.

a) Doblar, romper y desgarrar hojas de papel, pasar páginas y garabatear con crayola.

b) Extender una tela arrugada, estirar masa y/o plastilina.

c) Clavar cosas en una lámina de icopor, pinchar la comida con tenedor.

Estimulación cognoscitiva

1. OBJETIVO: Estimular la acción de atraer algo con una cuerda.

a) Colócale a un juguete un cordel y ponlo fuera del alcance del niño dejando el cabo cerca de él. Normalmente se dará cuenta que pueden atraerlo halando la cuerda. Más adelante cambia las cuerdas por distintos colores, grosores y formas.

2. OBJETIVO: Enseñar a abrir y cerrar puertas con sistema de cierre diferente.

a) Al niño le gusta abrir las puertas y ver qué hay

Figura No. 30

detrás. Su interés se intensifica más aún cuando la puerta tiene un mecanismo de cierre y se le permite aprender cómo funciona.

3. OBJETIVO: Reforzar el interés de buscar un objeto escondido.

a) Esconde un juguete de modo que quede una parte visible y dile al niño que te lo traiga. Al principio le costará trabajo encontrarlo (sobre todo si la parte visible es pequeña), pero pronto comprenderá que el juguete está detrás de lo que se ve. (Figura No. 32).

Figura No. 31

Figura No. 32

Estimulación del lenguaje

1. OBJETIVO: Nombrar actividades y personas mientras juegas.
a) Entrégale un muñeco y toma tú otro. Ve diciéndole mientras ejecutas los movimientos adecuados, "vamos a acunar al bebé, acuna al bebé, vamos a acariciar al bebé".

2. OBJETIVO: Pedir una cierta actividad con diversos objetos.
a) Coloca varios objetos en fila y dile: "dame el carro"; guía la mano hacia el juguete designado y, una vez que lo haya tornado, quítale el objeto suavemente y alábalo por haber sabido dártelo. Repite esta operación hasta que él ya no necesite de tu ayuda.

3. OBJETIVO: Enseñar a llamar a una persona cercana al núcleo familiar.
a) Estando reunida la familia, la madre debe decirle al niño que llame a su tía, por ejemplo. Ella alabará al niño y le dará las gracias por hacerlo. Se repetirá esto hasta que el niño ya llame y busque a la tía.

Estimulación auditiva

1. OBJETIVO: Ejercitar la asociación de sonidos con objetos.

a) Muéstrale un avión que vaya por el aire diciendo "el avión"; luego imita el sonido que produce éste y repítele "avión". Muéstrale un perro y dile "perro", "guau, guau", "perro". Haz lo mismo con todo aquello que produzca sonidos.

b) Cuando suene el teléfono, deja que el niño busque la fuente del sonido y luego llévalo hacia él y muéstrale cómo hablamos y nos hablan a través de él.

c) Repite el ejercicio anterior cuando timbren en la puerta.

Estimulación táctil

1. OBJETIVO: Desarrollar la percepción de las vibraciones.

a) Coloca sus manos sobre el radio a un parlante encendido para que perciba las vibraciones de la música.

Estimulación quinestésica

1. OBJETIVO: Estimular la discriminación entre frío y calor.

a) Haz que toque un pedazo de hielo con sus dedos y pronuncia en voz alta la palabra "frío". Repite esta misma operación con agua tibia diciendo "caliente".

2. OBJETIVO: Reforzar la percepci6n del volumen del agua.

a) Ponle la mano al niño debajo del chorro del agua al tiempo que gradúas la cantidad de la salida con el fin de que sienta la variabilidad en su volumen.

Estimulación socio-afectiva

1. OBJETIVO: Trabajar en la eliminación del miedo infantil ante un objeto.

a) Coloca lo que asuste a tu hijo en un rincón de la habitación. Cuanto más lejos esté el niño del objeto de su miedo, más segura se sentirá. Luego, acércate tú al objeto y haz como si sacaras de él un juguete nuevo y atractivo, entregándoselo al niño para que juegue con él durante un rato. Devuelve el juguete hacia el objeto del miedo. Repite varias veces esta acción hasta que el niño sea capaz de acercarse hacia lo que temía para recoger por sí mismo el juguete.

2. OBJETIVO: Estimular la conversión de un gesto en una recompensa o en una inhibición.

a) Cada vez que el niño haga algo que no debe, frunce el ceño y dile "esto no se hace", e inmediatamente después haz algo que no le guste como, por ejemplo, si tiene un juguete quítaselo y aléjate de él. Poco a poco te bastará con adoptar un tono estricto y fruncir el ceño para que el niño deje de hacer lo que no debe. En el caso de recompensa, haz lo contrario alabándolo, sonriéndole y demostrándole tu felicidad.

3. OBJETIVO: Enseñar a compartir con los demás.

a) Siéntate con el niño en las piernas y practica el viejo juego de entrechocar suavemente las cabezas. Verás cómo luego él adelantará su cabeza hacia la tuya.

Programación Semanal de Estimulación
Décimo mes

Días / *Áreas de estimulación*	*Lunes*	*Martes*	*Miércoles*	*Jueves*	*Viernes*	*Sábado*
Estimulación motriz	1a; 3a; 4a; 2a si camina por sí mismo	1a;3a;4a;5a	1a; 4b;5b	1a; 4b; 5c	1a; 3a; 4b	1a; 5b; 5c
Estimulación cognoscitiva	1a	2a	3a	1a	2a	3a
Estimulación visual						
Estimulación auditiva	1a; según la oportunidad 1b	1c	3b	1c	1b	1c
Estimulación táctil		1a		1a		1a
Estimulación olfativa						
Estimulación del lenguaje	1a	2a	3a	1a	2a	3a
Estimulación socio-afectiva	1a; 2a, según la oportunidad	3a		3a		3a
Estimulación quinestésica	1a	2a	1a	2a	1a	2a

Resumen del Décimo mes

Peso	*Medida*	*Desarrollo físico*	*Desarrollo sensorio motor*	*Desarrollo intelectual*	*Desarrollo social*	*Juguetes*
Niño 9.6 kg Niña 8.8 kg	74 cm 71 cm	Tenderá a pararse. Da pequeños pasos entre los muebles. Camina sosteniéndose con ambos brazos. Intenta levantarse estirando piernas y brazos y empujándose con las palmas. Sube y baja de las sillas y otros muebles. Cuando esta parada, es capaz de sentarse. Si está sentado podrá voltearse sobre su estómago. Puede tener problemas para dormir. Al vestirlo, ayudará preparando brazos y piernas.	Observa los objetos individuales y separados de los otros. Continúa aprendiendo acerca de los objetos; arruga el papel, hace ruido can cajas, escucha el tic-tac del reloj. Puede diferenciar el uso de sus manos, sosteniéndose con una y manipulando con la otra. Carga dos pequeños objetos en una mana. Voluntariamente suelta un objeto pero lo hace torpemente. Abre cajones para explorar sus contenidos. Le interesa encajar una cosa con otras. Comienza a preferir una mano y un lado del cuerpo con respecto al otro. Responde a la música balanceándose, meciéndose y murmurando. Comprende mejor el lenguaje.	Busca y alcanza un objeto que está detrás de sí sin necesidad de verlo. Busca un objeto que ve que está escondido. Busca en el mismo sitio un objeto a pesar de que lo ha vista escondido en varios lugares. Intenta señalar las distintas partes del cuerpo cuando se le pregunta. Su imitación de los comportamientos va en aumento; se frota él mismo con el jabón y le da de comer a otras personas. Puede repetir una palabra incesantemente, hacienda de ésta una respuesta a cualquier pregunta. Entiende y obedece algunas palabras y órdenes.	Busca ser acompañado y recibir atención. Aumenta la consciencia de sí mismo, de la aprobación a desaprobación social. Imita gestos, expresiones faciales, sonidos. Muestra estados de ánimo: se le ve ofendido, lastimado, triste, feliz, bravo. Comienza la identidad sexual; por ejemplo, los niños se identifican con los machos y las niñas con las hembras. Muestra preferencia por uno a varios juguetes.	Muestra miedo a lugares extraños. Juguete para empujar. Caja de cartón que no le represente peligro. Objetos que al chocar entre sí produzcan sonidos agudos. Carro caminador.

Registro de Evaluación Mensual

Semanas / *Áreas de desarrollo y estimulación*	*Primera*	*Segunda*	*Tercera*	*Cuarta*
Desarrollo y estimulación motriz				
Desarrollo y estimulación cognoscitiva				
Desarrollo y estimulación auditiva				
Desarrollo y estimulación del lenguaje				
Desarrollo y estimulación socio-afectiva				
Desarrollo y estimulación quinestésica				

Anotaciones para el próximo mes:

____

____

____

____

____

____

____

Undécimo Mes

Introducción

Es la edad promedio en que camina apoyado por todos lados. A medida que va pasando el tiempo podrá soltarse por ratos. Recuerda que todos estos avances de la motricidad gruesa, así como de las otras áreas, varían de un niño a otro.

El niño sigue empinándose, doblándose, tomando todo lo que esté a su alcance, calcula distancias, practica cambios de su peso pasando de una pierna a otra al empujar una silla.

A medida que tu hijo se aventure con nuevos pasos, habrá algunos golpes, ante los cuales deberás estar tranquila sin ignorarlos del todo. Un abrazo o una palabra cariñosa hará que se levante sin llorar. Si tú te demoras en hacer esto comenzará a llorar no tanto por el golpe sino por la frustración de que tú no estás pendiente de él. Debes decirle que lo está haciendo bien y que igualmente él lo está.

Es el tiempo en que el niño más necesita de todo tu apoyo. Necesitará saber que cuando tú te le acercas por un abrazo o un beso, lo harás con todo tu afecto.

El niño querrá treparse en muebles pequeños. Si anteriormente disfrutaba mecerse contigo en una mecedora, ahora él mismo tratará de subirse a ella y mecerse por sí mismo.

Está más interesado en observar y jugar que en comer, desorganizándose de esta forma la alimentación; tenderá a escoger un alimento en especial, que más adelante rechazará, volviendo a comer de todo.

El comenzar a hablar pronto no siempre es indicio de inteligencia. Lo más importante en esta etapa es que lo que tú le hables él lo entienda. Esta es la base del lenguaje pasivo.

Comienza a emplear palabras para referirse a las cosas en su ausencia. Emite palabras como *dado, mamá, tete*, señalándolas correspondientemente.

Características de desarrollo

Desarrollo motor

En este mes el niño ya puede ponerse solo de pie, endereza sus miembros y se empuja hacia arriba con la ayuda de las palmas de las manos. También lo logra flexionando sus rodillas y se empuja una vez está en cuclillas. Estando de pie, puede agacharse sin caerse. Ya no sólo sube las escaleras sino que también aprende a bajarlas de espalda. Comienza a perfeccionar su capacidad de superar obstáculos gateando a través de ellos, por encima o por debajo.

El andar apoyado en los muebles Le resulta a veces innecesario, ya que comienza a dar uno o dos pequeños pasos sin ayuda.

Comienza con el movimiento adaptativo de la mano para dirigir un juguete hacia un objeto. Afloja voluntariamente lo que tenga en sus manos, dejándolo caer. Sus movimientos de los dedos y las manos son más finos, le gusta tomar objetos pequeños y migas, utilizando de manera precisa el índice y el pulgar colocándolos en forma de pinza. Suelta objetos con ademán de lanzamiento. Se entretiene colocando un cubo encima del otro, metiendo y sacando objetos de un recipiente, al igual que argollas de un cono. Al ofrecerle un libro ya puede pasar sus páginas aunque no lo haga una por una. En el momento de comer, es capaz de llevar la cuchara a la boca y beber de una taza. Al vestirlo te darás cuenta que hala sus medias y deshace los lazos de los zapatos.

Desarrollo cognoscitivo

Comienza a ser más consciente de sus propios actos y en algunas ocasiones de sus consecuencias. Compara el mismo acto haciéndolo con cada uno de los lados de su cuerpo. Por ejemplo, si hace sonar una campana con su mano derecha, lo más posible es que lo intente hacer luego con la izquierda. Experimenta con el significado de obtener una meta como, por ejemplo, utiliza asiento pequeño como caminador. Asocia propiedades con la persona, animal o cosa correspondiente, como es el maullido de un gato; señala hacia arriba cuando ve en una lámina un pájaro o un avión, etc.

Ya puede empezar a pedir los objetos que quiere alcanzar. Obedece órdenes y ha establecido el significado del "no".

Desarrollo del lenguaje

Balbucea por sí mismo. Comprende el lenguaje, puede expresar sus deseos con gestos y algunas palabras y participar activamente en algunas actividades.

Puede decir dos o tres palabras juntas; "mamá" y "papá". Reconoce palabras como símbolos de objetos; por ejemplo, cuando oye la palabra "automóvil", señala hacia la calle.

Desarrollo socio-afectivo

Imita movimientos de adultos y movimientos y juegos de niños. Aunque su panorama de cooperación se vuelve más amplio, no siempre lo será. Cuando ve que alguien hace algo mal, tiende a acusarlo. Busca la aprobación de los demás y evita la desaprobación: es por esto que cuando alguna acción es aprobada, la repite.

Aumentará la dependencia hacia su mamá. Manifestará un grado más elevado de emociones, te expresará su apego tomando con fuerza tu ropa, apretándose contra ti, buscando tu protección, abrazándote cuando se lo pides o dándote un beso. Empieza a comprender que otras personas pueden también experimentar dolor, y llora ante esto para demostrar que te entiende y está contigo. Se vuelve cariñoso con sus juguetes, animales y otros niños. Pondrá especial interés en el contacto con los adultos o con niños mayores que le entienden y se adaptan a él.

Intervención general

En este mes el niño va a necesitar más de tu apoyo debido a que la locomoción le permite ser más independiente en el aspecto físico, más no en el emocional.

En el undécimo mes el niño se caracteriza por una mayor facilidad de desplazamiento, necesita aún de objetos que le brinden apoyo, le permitan poder andar por toda la casa para poco a poco irse soltando. Es necesario que tú se lo facilites quitando los tapetes pequeños con los que se puede enredar y caer, corriendo mesas que tengan aristas, etc.

Acerca al niño a sitios donde pueda apoyarse para ponerse de pie; sujétalo de las manos y da pasos con él.

Debido a que ya comienza a caminar, la compra de unos zapatos adecuados se convierte en algo primordial. Estos deben ser de suela flexible y blanda mientras el bebé no camine del todo. Dentro de la casa, debes procurar que esté descalzo para que se le desarrollen mejor los músculos de los pies. No cometas el error de comprarle zapatos que le queden grandes, pues éstos le formarán ampollas, se resbalará y tenderán a deformarle el pie.

"Por favor" y "gracias": debes comenzar a decírselo cada vez que le pidas o te de algo, hasta que se vuelva común en su lenguaje cotidiano. Poco a poco el niño comenzará a decir "*chu-chu*" al tren, "*pío-pío*" al pájaro, "*guau-guau*" al perro; estos sobre-

Figura No. 33

nombres no afectan el correcto aprendizaje de las palabras.

Si todavía no le has cambiado el hábito de bañarlo por la mañana a por la noche, es hora de hacerlo. Dormirá más tranquilo, además que se encontrará más sucio por la tarde después de haberse arrastrado y caminado por la casa en el día.

Ha llegado el momento en que ha perdido casi toda la inmunidad con que nació y es posible que comience a padecer enfermedades más severas. Son posibles las fiebres altas y súbitas. En estos casos cuenta con el apoyo del pediatra.

Presenta un creciente interés por los libros. No trates de enseñarle palabras o letras escritas; a él lo que le interesa es que tú le hables activamente sobre lo que él ve en los libros. Déjale pasar las páginas cada vez que quiera. No es necesario que acabes la historia en una sola sentada; lo importante es que el niño se sienta cómodo con los libros.

Estimulación directa

Estimulación motriz

1. OBJETIVO: Aprender a ponerse de pie sin apoyo.

a) Coloca al lado tuyo un banco o caja de unos veinte centímetros de altura, y ofrécele un juguete inclinándote muy poco, de forma que sólo pueda alcanzarlo poniéndose de pie. (Figura No. 33). Una vez que ha gateado hacia el banco, aprenderá a apoyarse en él arrodillándose inicialmente y luego se pondrá de pie logrando alcanzar el juguete que le ofreces. (Figura No. 34).

2. OBJETIVO: Enseñar al niño a que abra cajones.

a) Permite a tu hijo jugar con un cajón pequeño, fácil de abrir, y que esté a su altura. Lo abrirá y cerrará con gran interés; llénaselo de juguetes que le gusten, permite que los saque, vuelva a echar y cierra de nuevo el cajón. Este es un ejercicio en el que debes mantenerte a su lado con el fin de que no se lastime; enséñale que debe abrir y cerrar con la manija.

3. OBJETIVO: Estimular la actividad de vaciar, cerrar e insertar.

a) Coloca algunos juguetes pequeños en una bolsa de lona o papel y pídele al niño que los saque. Aprenderá a sujetar la bolsa con una mano por el extremo y sacará los objetos con la otra.

b) Ofrécele una caja, cesta, jarra o vaso plásticos y pídele que arroje lo que tenga adentro. El niño descubrirá que para que caiga el contenido, tendrá que voltear el recipiente y ponerlo boca abajo.

Figura No. 34

Más adelante, muéstrale cómo puedes tapar estas cajas; hazlo primero con tapas que encajen por dentro fácilmente. Ponerle una tapa a un recipiente cuadrado presenta más dificultad.

c) A una caja pequeña de madera, plástico o cartón, hazle un agujero de unos dos centímetros y medio de ancho en la parte superior y consíguete un palo con el mismo diámetro y puntas redondas, que no ofrezca ningún peligro. Enseña al niño cómo meter el palo por el agujero de la caja.

4. OBJETIVO: Ejercitar el abrir y cerrar una caja pequeña.

a) Dale al niño una caja de fósforos vacía o algo similar, e indícale cómo se abre y se cierra. Esta actividad de manipulación te dará la oportunidad de enseñarle a trabajar con ambas manos, cada una de las cuales hace una cosa diferente.

5. OBJETIVO: Enseñar a enroscar una tapa.

a) Enséñale cómo se abren las tapas de rosca de una botella o de la crema de dientes, y luego cómo se cierran para el otro lado.

6. OBJETIVO: Reforzar los movimientos circulares.

a) Cuando estés triturando algo en el molino, o cuando estés sacándole punta a un lápiz en un sacapuntas de mesa, indícale cómo lo debe hacer, vigilando que no se haga daño.

Estimulación cognoscitiva

1. OBJETIVO: Inducir al niño a que traiga los juguetes con un objeto.

a) Colócale al niño un juguete que le llame la atención debajo de la cama o de un escaparate y, al lado, al alcance de él, coloca un objeto alargado que no ofrezca peligro en sus puntas, para que le sirva de ayuda en la obtención del juguete. (Figura No. 35).

2. OBJETIVO: Desarrollar la habilidad de pescar con una red.

a) Consíguete una red para pescar mariposas, o una coladera grande, y pon al niño junto a la bañera llena de agua donde habrás metido varios juguetes: el niño intentará recogerlos sirviéndose para ello de la red.

3. OBJETIVO: Inducirlo a apretar una esponja.

a) Cuando lo estés bañando dale una esponja y muéstrale al niño cómo, al estar mojada, si la aprieta sale agua de ella.

Estimulación del lenguaje

1. OBJETIVO: Estimularlo a que hable sobre cosas observadas.

a) Cuando vayas con tu hijo por la calle, háblale sobre lo que sucede a su alrededor, dile “mira, ahí viene un bus, los buses llevan a las personas de su casa al trabajo, es un bus grande y fíjate que al lado viene un automóvil, ese automóvil es pequeño como el de mamá”, etc.

2. OBJETIVO: Inducir al niño a que forme escenas con juguetes para que trate de comunicarlo con palabras que conoce.

a) Siéntate con el niño en las piernas y representa escenas sencillas con un juguete de felpa: muéstrale cómo salta el oso, cómo se acuesta, y qué hace. El tratará de responderte con palabras que conozca. Si todavía no lo puede hacer, enséñale repitiéndole claramente y despacio cada acción: "dor-mi-do, el oso está dormido"; acuéstate con el oso y representa la acción de dormir.

3. OBJETIVO: Reforzar la relación de las palabras con ciertas actividades.

a) Si es la hora de dormir y lo vas a acostar en su cama, repítele la palabra "dormir". Si es el momento de comer repítele la palabra "comer". Al cambiarle los panales, repítele la palabra "limpio" y así sucesivamente.

Figura No. 35

Estimulación táctil

1. OBJETIVO: Reforzar el palmear y alisar una superficie.
a) Enséñale al niño a alisar la arena en un cubo aplanándola y dándole palmadas.

2. OBJETIVO: Estimular a que empuje juguetes que floten sobre el agua.
a) Llena un cubo de agua y coloca varios objetos que floten en ella. Luego, enséñale a empujar los juguetes con la mano sobre el agua para hacer que avancen en una dirección determinada. De esta forma, el niño sentirá los cambios dentro y fuera del agua.

3. OBJETIVO: Ayudar a que detecte sustancias pegajosas.
a) Vierte en una mano del niño agua y en la otra refresco. Deja que pasen unos segundos y muéstrale cómo una de las manos está pegajosa mientras que la otra no.

Estimulación socio-afectiva

1. OBJETIVO: Estimular la ejecución de diferentes actividades con un mismo juguete.
a) Dale un muñeco y dile: "mece al nené", "abraza al nené", "dale de comer al nené", etc.

2. OBJETIVO: Reforzar la sensación de pertenencia al grupo familiar.
a) Dale la oportunidad de unirse a ti cuando hagas la limpieza o laves los platos. Por ejemplo, dale un trapo para que trate de limpiar su mesa, y permítele que te ayude con cualquier otra actividad de la que tú creas que es capaz.

3. OBJETIVO: Estimular la proyección de sentimientos.
a) Con su juguete de peluche preferido enséñale a tratarlo con suavidad y cariño, a jugarle como si se tratase de una persona real con las mismas necesidades, alegrías y tristezas.

4. OBJETIVO: Estimular el juego con el espejo.
a) Coloca al niño enfrente de un espejo y haz que se mire. Pronto empezará a reírse, a tocar su imagen, a darle cabezazos. Luego mirará alternativamente su imagen y la tuya. Así aprenderá a distinguir entre la imagen y la realidad.

Programación Semanal de Estimulación
Undécimo mes

Días / *Áreas de estimulación*	*Lunes*	*Martes*	*Miércoles*	*Jueves*	*Viernes*	*Sábado*
Estimulación motriz	1a; 3a; 4a	3b; 5a; 6a	3a; 3c; 4a	1a; 3b; 5a	2a;3a;3c;4a	1a; 2a; 6a
Estimulación cognoscitiva	3a, según la oportunidad	2a	1a	1a		2a
Estimulación visual						
Estimulación auditiva						
Estimulación táctil	2a	1a	3a	2a	1a	3a
Estimulación olfativa						
Estimulación del lenguaje	2a; 1a y 3a, según la oportunidad		2a		2a	
Estimulación socio-afectiva	1a; 2a, según la oportunidad	4a	1a	4a		3a

Resumen del Undécimo mes

Peso	*Medida*	*Desarrollo físico*	*Desarrollo sensorio motor*	*Desarrollo intelectual*	*Desarrollo social*	*Juguetes*
Niño 9.9 kg Niña 9.2 kg	75.5 cm 73.0 cm	Puede llegar a pararse solo. Se soltará a caminar por ratos. Se puede parar estirando sus miembros y apoyado en las palmas; levanta su cuerpo. Anda a través de los muebles; puede pararse apoyado sobre los dedos de los pies. Puede doblarse hacia adelante mientras está parada contra algún soporte. Puede dar uno o dos pasos sin agarrarse de nada. Mientras que está de pie, puede girar su cuerpo hasta 90 grados. Puede bajarse sin caer cuando está de pie. Trepa escaleras. Se acurruca y se inclina. Se encuentra más interesado en jugar que en comer. Aprende a bajar escaleras de espalda.	Puede usar sus manos en secuencia; por ejemplo cuando se alimenta, cuando se acurruca, cuando recoge un objeto con una mano, agarrándose de algo. Recoge minuciosamente pequeños objetos. Deliberadamente coloca objetos. Puede quitarse las medias y deshacer los nudos de los cordones de sus zapatos. Coloca y quita objetos de entre una taza, caja u otro contenedor. Levanta la tapa de una caja. Puede quitar y poner anillos en una torre en forma de cono. Pasa las hojas de un libro pero no necesariamente una por una.	Es consciente de sus propias acciones y de algunas de sus implicaciones. Compara un mismo acto hecho con cada lado de su cuerpo. Experimenta con medios para lograr metas; por ejemplo, puede usar una pequeña silla como caminador. Asocia propiedades con cosas; maullidos con gato, señala hacia arriba cuando ve una foto de un pájaro. Obedece órdenes y ha establecido el significado de "NO". Sus conversaciones son todavía balbuceos con algunos pocos sonidos inteligibles. Puede imitar inflexiones, ritmos de conversaciones y expresiones faciales con mayor precisión que los sonidos de conversaciones.	Imita movimientos de adultos y movimientos y juegos de otros niños. No siempre coopera. Muestra culpa en cosas que hace mal. Busca aprobación y trata de evadir desaprobación. Cuando es elogiado repite la acción para conseguir aprobación adicional. Aumenta la dependencia hacia su madre. Busca imágenes de objetos en el espejo. Disfruta juegos como "esconder y buscar"; y rodar una bola hacia adelante y hacia atrás.	Cajas con cerraduras de diferentes formas. Piezas de rompecabezas. Anillos de plástico que se apilen y se puedan quitar uno por uno. Libros de carátulas y hojas gruesas. Cajones que se puedan vaciar.

Registro de Evaluación Mensual

Semanas / *Áreas de desarrollo y estimulación*	*Primera*	*Segunda*	*Tercera*	*Cuarta*
Desarrollo y estimulación motriz				
Desarrollo y estimulación cognoscitiva				
Desarrollo y estimulación auditiva				
Desarrollo y estimulación del lenguaje				
Desarrollo y estimulación socio-afectiva				
Desarrollo y estimulación quinestésica				

Anotaciones para el próximo mes:

____

____

____

____

____

____

____

Duodécimo Mes

Introducción

Al arribar a este mes, el niño es un ser totalmente distinto del recién nacido indefenso y pasivo. Ahora tiene un creciente sentido de sí mismo, de su existencia, es capaz de percibirse como un ser humano separado y distinto. Tiene conocimiento de su tamaño, necesidades y gustos; estará emergiendo como una persona en toda su plenitud.

Hacia el final del mes, el niño estará permanentemente ocupado caminando, paseando, gateando, utilizando cualquier medio que le resulte eficaz para desplazarse.

No querrá permanecer quieto en ninguna parte; su mundo ahora es controlado por él, puede hacer a voluntad lo que le resulte interesante.

Cuando está aprendiendo a caminar, el niño lleva por lo general un juguete. Esto le ayuda a darse confianza ya que siente que al llevar algo agarrado es como si tuviera un apoyo real.

Luego que haya aprendido a caminar bien, comenzará a pararse y sentarse solo. Poco a poco irá haciendo otras cosas mientras camina, como decir adiós, o señalar un objeto.

El niño, a esta edad, se trepa en todas partes. Por esto es importante redoblar los cuidados.

Si no le has ensenado aún a nadar, ésta es la época propicia para hacerlo ya que los movimientos de gateo le ayudarán en el agua.

Puedes lograr progresos considerables en el desarrollo de los movimientos delicados de las manos del niño, que son los mejores índices de una actividad intelectual y de una experiencia crecientes. Hacia el final de este mes extenderá con seguridad la mano hacia un objeto observado y, antes de tomarlo, la adaptará a su tamaño, forma y posición.

Empezará a meter unas cosas en otras, le gustará abrir y cerrar los cajones e introducir cosas en agujeros. Tratará de juntar objetos unos sobre otros, armar y ensamblar, utilizará tapas de rosca; intentará manipular las cosas tal como lo hacen los mayores, por ejemplo, una olla: no solo la golpeará sino que tratará de revolver en ella.

A los doce meses el niño sigue experimentando con todo lo que tiene a su alrededor: agarra, muerde, voltea, tira y experimenta con la altura y la distancia.

El proceso de pensamiento adelanta especialmente con respecto a la acción y reacción de las cosas. Es decir que ya sabe y espera lo que viene después de una acción que lleve a cabo.

Ante el espejo ya tiene una idea más específica y consciente de que es él quien está allí, pero a su vez reconoce que se trata de una imagen y no de él mismo.

Le gusta desocupar su baúl de juguetes y meterse allí. Deberá tener cuidado con las tapas: éstas deben abrir fácilmente para evitar así que se lastime.

Cuando se siente dependiente, es decir, cuando necesita ayuda se presenta muy colaborador. Sin embargo, esta actitud cambiará rápidamente al sentir su necesidad de independencia.

Si tienes un bebé en camino, un niño de esta edad comenzará a exigir en forma severa aquella atención que solicitan los niños por miedo a la pérdida del cariño de su mamá.

La ansiedad hacia los extraños persiste. Será menos pronunciada si se encuentra en su casa que si se encuentra por fuera de ella; aunque se supone que estos miedos ya han sido superados en los doce meses anteriores, sin embargo pueden volver a aparecer.

Al final del mes se va expandiendo su sentido del humor. Cuando sus exigencias se convierten en algo abrumador, trata de controlar la furia: un toque de humor puede que no lo haga cambiar de parecer, pero aquello que le estabas negando será para el niño más llevadero.

Ya comienza a formar una conciencia rudimentaria de lo que es bueno o malo: sin embargo, esto no impedirá que tenga algunas rabietas o berrinches cuando esté haciendo algo "inadecuado" y tú se lo quieras impedir. Ante estas rabietas trata de controlarte, no le dés gusto por evitarte oírle su berrinche; dale un apoyo que no te convierta en instrumento, ya que este comportamiento será la base para establecer un patrón de maduración e independencia.

Son útiles en este momento los juguetes pesados que se puedan empujar y a la vez pueda apoyarse en ellos.

Características de desarrollo

Desarrollo motor

A esta edad el niño ya maneja tres posiciones; erguido, gateando y sentado. La mayoría de los niños comienza a caminar en este mes. Sin embargo, así como hay algunos que lo hacen desde los once meses, hay otros que caminan hasta los trece o aún hasta los catorce. En la expresión de su rostro se verá la felicidad de poder desplazarse independientemente aún cuando ya caminen, para poder tener una locomoción más eficiente, prefieren gatear.

A su caminar ya le añade otras posibilidades de movimiento como mecerse, retroceder, parar, y cargar juguetes. Se para solo flexionando sus rodillas y empujándose desde su posición de gateo; trepará obstáculos bajos, sube y baja escalones. Comenzará a hacer movimientos de nado en la tina.

En cuanto a su motricidad fina, extenderá con seguridad la mano hacia un objeto observado y, antes de tomarlo la adaptará a su tamaño, forma y posición. Esto le ayudara a alcanzar con precisión objetos que se mueven. El movimiento adaptativo de la mano para dirigir un juguete hacia un objeto es ya seguro. El niño guiará en línea recta hacia el ojo de la cerradura o volverá la mano para meter una moneda por la ranura de la alcancía. Comienza a utilizar una de las dos manos con mayor frecuencia; construye torres de dos o tres bloques después de habérsele hecho la demostración; coloca uno o dos bloques en su boca o debajo del brazo para asir un tercero. Su prensión se hará más firme y podrá colgarse no sólo de tus dedos sino también de una barra. En este mes ya lanza objetos con intención.

Desarrollo cognoscitivo

El niño empieza ya a sacar conclusiones acerca de sus relaciones y del modo en que interactúan. Domina las tareas sencillas y movimientos autosuficientes y empieza a imitar. Mientras trabaja con su mano que ya viene prefiriendo, comienza a utilizar la otra como auxiliar.

Almacena sucesos en su memoria por un período de tiempo mucho más prolongado. Su capacidad de recordar eventos ocurridos en semanas anteriores se desarrolla asombrosamente. Comienza a recordar cuentos por períodos largos; puede agrupar algunos objetos por su color y forma; identifica animales que estén dibujados en libros o revistas; Le llaman la atención las relaciones espaciales, especialmente el peso y las distancias de los objetos. Le gusta experimentar con el proceso de acción-reacción, o sea, repetir aquellas acciones que produzcan reacciones evidentes e inmediatas. Su conciencia se empieza a desarrollar.

Desarma juguetes, y aquellos que estén debajo de una caja, taza o almohada, los encuentra fácilmente. Buscará objetos que han sido escondidos aún sin que él se haya dado cuenta. Sin embargo, sólo lo hace donde por última vez los vio.

Hacia el final de este mes, extenderá con seguridad la mano hacia un objeto. Guiará la llave en línea recta hacia el ojo de la cerradura o volverá la mano para meter una moneda por la ranura de una alcancía. Los objetos huecos le siguen interesando. Habrá aprendido a vaciar recipientes; colocar las cosas; verter, llenar, insertar, y cerrar.

Desarrollo del lenguaje

Aparece la comprensión de palabras y de órdenes sencillas. Señala su boca, su nariz. Balbucea haciendo oraciones cortas.

Hacia el final del mes, poseerá un vocabulario de cuatro palabras. El vocabulario activo de un niño de doce meses consiste principalmente en palabras del lenguaje infantil, pero le gustarán las canciones y rondas, demostrando también gran interés por las ilustraciones coloreadas.

Puede utilizar una sola palabra para designar muchas cosas. Empieza a producir la entonación y patrones del idioma nativo.

Desarrollo visual

Percibe los objetos tanto en forma detallada como separada, para ser imitados e incluidos en su rutina de juego. Reacciona con toda claridad a la tercera dimensión de los objetos. Se interesa por los objetos huecos, que palpa por dentro y por fuera.

Trata de agarrar las imágenes reflejadas en el espejo.

Desarrollo auditivo

Se ríe ante sonidos inesperados. Responde consistentemente a tres palabras: "mira el perro", "trae el gato", etc. Entiende sustantivos y mira a la persona u objeto cuando escucha la palabra.

Figura No. 36

Desarrollo táctil

Ya al final de este mes perfeccionará su capacidad de distinguir los materiales.

Desarrollo socio-afectivo

En este mes el niño expresa varias emociones y las reconoce entre otras. Ofrece afecto y empieza a tener preferencias en sus juguetes y en su ropa. Demuestra gran interés en lo que hacen los adultos y puede exigir más ayuda de la necesaria por parte de los adultos, ya que esto hace más fáciles las cosas.

Aunque se acerca sin recelo a personas familiares, le temerá a las personas extrañas y a lugares no conocidos. Reaccionará fuertemente a la separación de la madre; necesitará estar cerca de ella en lugares extraños. En el momento en que se sienta seguro y cómodo, se alejará voluntariamente de la madre.

Ya responde cuando se le llama por su nombre; niega con la cabeza; dice adiós con la mano. Deja de llevarse los objetos a la boca.

Empieza a intentar controlar su vejiga e intestinos. Podrá estar seco hasta después de una siesta, aun cuando comienza a resistirse a dormirla ya.

Intervención general

Cuanto más se sabe sobre el desarrollo evolutivo, más se puede colaborar para que la vida del niño transcurra en circunstancias inteligentemente dispuestas para adaptarse a sus intereses y capacidades. A continuación te seguimos ofreciendo una serie de recomendaciones para que puedas colaborar de esta forma.

Debido a que en este mes el niño ya comienza a controlar varias posiciones, debes ayudarle a que las perfeccione facilitándole el medio donde lo llevará a cabo. Por ejemplo, acerca el niño a sitios donde él pueda apoyarse para pararse; sujétalo de las manos y da pasos con él si todavía no lo hace solo; enséñale a sentarse en una silla cuando esté de pie. Lo más difícil para él será controlar la posición de su cuerpo en relación con el asiento, es decir, la colocación correcta de su parte superior en el mismo, puesto que no puede verlo. Lo anterior y la estimulación de otros juegos requieren de refuerzo ya que le ayudan a conservar el equilibrio y la coordinación.

Acércale una caja que contenga juguetes para que el niño los saque. Entrégale una pelota y pídele que la lance; devuélvesela en la misma forma. Agita tu mano diciendo "adiós" cuando se retire.

Refuerza en este mes todas las medidas de seguridad en tu hogar. Cuando tengas que dejarlo solo por unos segundos, colócalo en un sitio donde no pueda hacerse daño. A esta edad continúa explorando con la boca, los ojos y las manos. Asegúrate de no dejar objetos pequeños que pueda tragar.

La zona de la cocina y lavandería son en estos momentos áreas de alto riesgo, ya que se encuentran puertas a su altura, cajones, canecas, utensilios peligrosos, etc.

Ningún niño, sin importar su edad, debe ser castigado bruscamente y menos físicamente, pues no lo entenderá. Si es preciso ir formando una disciplina, un *no* en tono fuerte y consistente será más efectivo.

Respecto a sus hábitos alimenticios, parecerá que su apetito ha disminuido, pero en general tomará una alimentación balanceada aunque se niegue a comer lo que tu desearías. El niño ha comenzado a escoger lo que le gusta comer y la cantidad que desea. Además, la energía que consume en sus nuevas actividades hará que gane peso más lentamente a como lo venía haciendo.

Estimulación directa

Estimulación motriz

1. OBJETIVO: Entrenar al niño en la actividad de sentarse.
a) Consigue un objeto ancho, de unos quince a veinte centímetros de alto, puede ser preferiblemente un banco o un escalón. Ponlo de frente para que vea el objeto donde se va a sentar; pídele que se siente volteándolo al mismo tiempo ciento ochenta grados y empújalo suavemente hasta que se siente. Utiliza al comienzo una superficie ancha, debido a que el niño no sabe diferenciar si coloca sus nalgas más a la derecha o a la izquierda. Luego intenta este mismo ejercicio en una silla delante de una mesa. Este ejercicio le enseñará a orientarse en el espacio.

2. OBJETIVO: Estimular el ejercicio de dar patadas a un balón.
a) Una vez ha aprendido a caminar, coloca un balón en el suelo y muéstrale cómo debe darle patadas. Se acercará a el tambaleándose; y al llegar al frente dará un paso más grande y lo golpeará. Durante este movimiento, le resultará más difícil mantener el equilibrio. Si aún no camina solo, llévalo de la mano hasta el balón e indícale cómo debe hacerlo. Esto le ayudará a dar pasos irregulares y no rítmicos. (Figura No. 36).

3. OBJETIVO: Ejercitar el trabajo de superar obstáculos.
a) Indícale al niño cómo debe atravesar el escalón de una puerta, una tabla puesta en el suelo o sobrepasar un objeto. En el jardín, el obstáculo puede ser la raíz de un árbol, la manguera o cualquier otro objeto fácil de sobrepasar que se encuentre allí. Inicialmente puedes ayudarle dándole la mano; más tarde, déjalo que lo intente por su cuenta.
b) Enséñale más adelante a subir y bajar las aceras o veredas primero con tu ayuda y luego sin ella.

4. OBJETIVO: Inducirlo a caminar a lo largo de una superficie estrecha.
a) Coloca una tabla de quince a veinte centímetros de ancho en el suelo. Si tu niño no camina todavía muy bien, lo hará con las piernas separadas y sólo más adelante las juntará tratando de colocarlas en el eje de su cuerpo. Si ya camina con seguridad, hazlo correr la tabla: esto lo obligará a poner sus pies más cerca del eje del movimiento. (Figura No. 37).

5. OBJETIVO: Inducir al niño a cargar y llevar cosas de un lado a otro.

a) Pídele al niño que vaya por su gran oso de felpa, por el balón o por su silla. Cuando los niños a esta edad alzan objetos de gran tamaño, su centro de gravedad se eleva y se ladea, por lo que han de adoptar una posición del cuerpo distinta que cuando caminan sin ninguna carga. Este ejercicio perfeccionará su habilidad para mantener el equilibrio.

6. OBJETIVO: Reforzar la actividad de empujar o halar juguetes.

Figura No. 37

a) Dale al niño un juguete con ruedas, de mango largo y preferiblemente que suene al andar. El niño al halar el juguete, observará sus movimientos, escuchará su sonido y prestará menos atención a su manera de andar. El propósito de este ejercicio es convertir la marcha en algo automático y enseñarle a orientarse cuando tiene la atención fija en otra cosa. Utiliza preferiblemente juguetes de madera. (Figura No. 38).

7. OBJETIVO: Estimular al niño a encajar vasos unos dentro de otros.
a) Ofrécele al niño una serie de vasos plásticos; estos deben ser más estrechos en el fondo y todos del mismo tamaño. El niño aprenderá fácilmente ya que no tiene que preocuparse ni de su forma ni de su tamaño. Más adelante hazle este mismo ejercicio, pero con vasos de distinto tamaño para que encaje los más pequeños en los más grandes.

8. OBJETIVO: Practicar con el niño la edificación de torres.
a) Dale al niño cubos de un mismo tamaño y dile que los ponga unos encima de otros. Si lo logra, alábalo ruidosamente. A esta edad un niño diestro será capaz de construir una torre de dos cubos. Ensaya primero con cubos grandes y luego con más pequeños.

9. OBJETIVO: Ejercitar la precisión.
a) Muéstrale cómo debe echar monedas en una alcancía; abrochar botones; ensartar un cable a través de una tabla agujereada, e insertar una varilla en un cilindro. Estos ejercicios estimulan el área visomotriz.

Estimulación cognoscitiva

1. OBJETIVO: Encajar figuras geométricas.
a) Recorta un círculo, un triangulo y un cuadrado de dos y medio a cuatro centímetros, aproximadamente. En un trozo de cartulina de diez

por diez centímetros, pinta en distintos colores las figuras geométricas que recortaste, y dile al niño que las coloque encima de su compañera. La figura circular será la primera que colocará, mientras que el triangulo se le dificultará más.

Figura No. 38

Puedes variar este juego pintando frutas, animales, objetos, etc.

2. OBJETIVO: Sacar algo de un tubo con la ayuda de un palo.

a) Envuelve un juguete en papel delante del niño y mételo entre un tubo de unos veinte centímetros de largo. Entrégaselo junto con un palo para que empuje su juguete hacia afuera. (Figura No. 39).

3. OBJETIVO: Inducir al niño a abrir un cajón con la llave.

a) Muéstrale al niño cómo guardas un juguete dentro de un cajón que pueda ser abierto halando de la llave y que no tenga manija o tirador. Saca la llave y dásela al niño. El intentará seguir el proceso para obtener su juguete.

4. OBJETIVO: Enseñar a hacer burbujas.

a) Cuando lo bañes o esté en una piscina, dale una pelota o un juguete de goma perforados y dile que lo meta debajo del agua. Ayúdale a apretarlo: el niño verá cómo salen burbujas. Luego déjalo a él sólo para que lo haga y descubrirá que primero tiene que sacarlo del agua y dejar de apretarlo con el fin de que entre aire en la pelota y no agua. De esta forma, también se dará cuenta de la existencia del aire.

Estimulación del lenguaje

1. OBJETIVO: Enseñar al niño a enviar mensajes sencillos.

Figura No. 39

a) Con el fin de entrenar al niño en el uso activo de las palabras en la situación apropiada, mándale llevar un mensaje a alguien. Por ejemplo, dile: "llama a papá y dile que venga a comer; dile papá"; "dale a tu hermana el libro, dile toma". Cada vez que lo haga alábalo y dale las gracias.

2. OBJETIVO: Completar rimas o canciones infantiles.

a) Mira con el niño un libro con dibujos y rimas. Recítale los versos, si lo haces con frecuencia, el niño intentará decir por lo menos una o dos palabras y algunas de las rimas.

3. OBJETIVO: Incrementar el vocabulario pasivo.

a). Con el fin de que comprenda frases sencillas sobre las situaciones en que se encuentra a diario; comer, bañarse, lavarse, jugar, caminar, dormir y las relacionadas con las personas y los objetos que le son próximos, debes comentar cada actividad y repetirle el nombre de los objetos y calificativos que ellas conllevan.

Estimulación táctil

1. OBJETIVO: Estimular al niño para que camine sobre diferentes superficies.
a) Si el niño ya camina con seguridad, ponlo a caminar descalzo sobre la hierba, arena y/o heno. Más adelante lo puedes hacer en la orilla de un río, y en una playa donde haya conchas.

Estimulación socio-afectiva

1. OBJETIVO: Jugar a la persecución.
a) Colócate de pie frente al niño y tiéndele las manos. Llámalo hacia ti. Tratará de tomártelas. Cuando ya esté a punto de alcanzarte, ríete y retrocede unos pasos, haciendo que te persiga.

2. OBJETIVO: Reforzar el garabateo en el papel.
a) Extiende en el suelo un papel grande y dale al niño un lápiz poco afilado y de color vivo. Enséñale cómo garabatear y trata de que él te imite. Invita a su hermano o a un amigo para que dibujen juntos y en un momento dado intercambien colores.

3. OBJETIVO: Jugar a las escondidas.
a) Escóndete y llama al niño. Cuando se acerque y te vea, dile "buuuuu", levántalo en el aire, déjalo en el suelo y vuélvete a esconder. Pronto comprenderá el principio del juego y se esconderá también, aunque no será capaz de esperar a que lo busques y comenzará a llamarte.

Programación Semanal de Estimulación
Duodécimo mes

Días / *Áreas de estimulación*	*Lunes*	*Martes*	*Miércoles*	*Jueves*	*Viernes*	*Sábado*
Estimulación motriz	1a; 6a	2a; 7a	3a; 8a	4a; 6a	5a; 7a	1a; 9a
Estimulación cognoscitiva	2a	2a	3a	4a	3a	4a
	1a		1a		1a	
Estimulación visual						
Estimulación auditiva						
Estimulación táctil	1a		1a		1a	
Estimulación olfativa						
Estimulación del lenguaje	1a; 3a, según la oportunidad	2a	1a		2a	1a
Estimulación socio-afectiva	1a	2a; 3a	1a	2a; 3a	1a	2a

* La línea punteada te indica que los ejercicios se dividen en dos: los de la parte superior para las primeras semanas y los de la parte inferior para las últimas.

Resumen del Duodécimo mes

Peso	*Medida*	*Desarrollo físico*	*Desarrollo sensorio motor*	*Desarrollo intelectual*	*Desarrollo social*	*Juguetes*
Niño 10.3 kg Niña 9.5 kg	77 cm 74 cm	Muestra una combinación de estar de pie, caminar y pasear. Cuando está de pie gira su cuerpo 90 grados. Aunque camina, probablemente prefiere todavía gatear como una manera más eficiente de locomoción. Puede añadir otras maniobras a la de caminar: parar, saludar con las manos, andar para atrás, cargar juguetes, etc. Se para flexionando las rodillas cuando está acurrucado. Trepa y baja escaleras. Puede salirse de la cuna o el corral. Cuando está de pie se baja para quedar sentado sin dificultad. Hace movimientos "rotatorios" en la tina. Puede tener problemas durmiendo; usualmente sólo duerme una siesta. Probablemente insiste en alimentarse solo.	Alcanza con precisión algo mientras que observa hacia otra parte. Utiliza y alcanza con su mano preferida. Encaja unas cosas con otras en vez de separarlas solamente. Construye una torre de dos a tres bloques después que ha observado una demostración. Tiende a llevarse uno o dos objetos a la boca o debajo del brazo para agarrar un tercero. Disfruta jugar con el agua en el lavamanos o en el baño.	Percibe objetos como elementos separados e independientes, que pueden ser insertados en rutinas de juegos. Desenvuelve los juguetes; encuentra un juguete que ha sido escondido dentro de una caja debajo de una almohada o una taza. Busca un objeto escondido a pesar de que no lo haya visto esconder, pero sólo recuerda el último lugar donde lo vio. Recuerda eventos por mucho más tiempo. Puede agrupar algunos objetos por su forma y color. Identifica animales en libros de cuentos o revistas. Responde a las direcciones que se le dan y entiende gran parte de las cosas que se le dicen y que tienen relación con su mundo cotidiano. Experimenta con relaciones espaciales: alturas, distancias. Experimenta con acción y reacción. Comienza a desarrollar la conciencia. Balbucea en frases cortas.	Expresa muchas emociones y las reconoce en los otros. Manifiesta cariño hacia los humanos y hacia sus objetos favoritos como juguetes y frazadas. Demuestra un gran interés en lo que hacen los adultos. Puede solicitar más ayuda de la necesaria a un adulto ya que ve que las cosas así resultan más fácilmente. Puede negarse a comer nuevos alimentos o a ser alimentado por su mamá. Todavía le asustan los lugares y las personas extrañas. Reacciona fuertemente cuando es separado de su mamá; necesita estar cerca a ella en lugares extraños. Se distingue a sí mismo definitivamente separado de otros. Cuida su muñeca u oso de peluche, lo alimenta, arrulla y baña.	Muñecos que encajen en agujeros. Vasos que encajen uno sobre otro. Crayolas y hojas para dibujar. Automóvil de jugueteo. Caminador. Marimba (instrumentos de percusión).

Registro de Evaluación Mensual

Semanas / *Áreas de desarrollo y estimulación*	*Primera*	*Segunda*	*Tercera*	*Cuarta*
Desarrollo y estimulación motriz				
Desarrollo y estimulación cognoscitiva				
Desarrollo y estimulación auditiva				
Desarrollo y estimulación del lenguaje				
Desarrollo y estimulación socio-afectiva				
Desarrollo y estimulación quinestésica				

Anotaciones para el próximo mes:

____

____

____

____

____

____

____

¡Felicitaciones!

Al llegar hasta aquí has culminado uno de los trabajos más importantes dentro de una de las etapas de mayor trascendencia en la vida del niño, caracterizada por cambios vertiginosos, grandes logros a nivel físico, emocional y social, así como un significativo afianzamiento de las relaciones madre hijo; los éxitos alcanzados constituirán los cimientos de los progresos y alcances en años posteriores.

Es cierto que la educación del niño requiere trabajo, tensiones y responsabilidades; pero si durante este proceso los padres han estado informados y han utilizado herramientas, como la *Estimulación Temprana*, que favorecen el total y pleno desarrollo de las potencialidades naturales del niño, las posibilidades de gratificación y disfrute se ampliarán infinitamente. De este modo su primera sonrisa, la sociabilidad del bebé, sus primeras manifestaciones de inteligencia y comprensión del mundo, te harán comprender que el esfuerzo ha valido la pena.

Al cumplir tu hijo el primer año de vida, te habrás dado cuenta que para educarlo, además de sentir un gran amor por él y tener una buena dosis de paciencia, es igualmente importante poseer un alto nivel de conocimiento acerca de las características del desarrollo evolutivo y de las distintas formas de ayudarlo a través de sus propias acciones.

Desde el día del nacimiento del bebé, los dos han emprendido un viaje fascinante. Tu mejor instrumento para dirigirlo hacia adelante será tu capacidad para ver las cosas desde su punto de vista. Si te esfuerzas por conocerlo, sabrás lo que le gusta, lo que entiende, lo que desea, lo que necesita y lo que le satisface.

En este primer año, entonces, muchas de sus actividades han podido desplegarse gracias al proceso de estimulación que tú le has proporcionado. En el año que viene las posibilidades de interacción y crecimiento serán mayores, los cambios que tendrán lugar harán preciso que este proceso continúe en cada una de las áreas en que has venido trabajando durante el año anterior.

En el área motriz se acerca un período emocionante; el niño se dedicará a perfeccionar aún más sus destrezas motrices gruesas; intentará correr, subir, bajar escaleras, brincar, etc. Por otra parte ahora le será más fácil agarrar objetos pequeños y mover con mayor agilidad sus dedos ya que su motricidad fina también se ha desarrollado significativamente.

Su lenguaje será más amplio; podrá, aunque con pocas palabras, nombrar cosas, señalar y reclamar cuando no se encuentre a gusto. Su capacidad cognoscitiva se agudiza, será capaz de inventar nuevos medios para lograr cosas, su comprensión es ahora mayor. Todos estos aspectos le proporcionan una mayor capacidad de interacción con el mundo que le rodea.

Disfrutará inmensamente los libros, los cuentos, las canciones y los juegos, que cobrarán vida enriqueciendo su imaginación y fantasía, y ampliando su mundo cognoscitivo. Imitará al payaso aunque no esté presente, intentará tararear canciones al unísono contigo, tratando de llevar el ritmo. Jugará a representar papeles lo que le dará la oportunidad de practicar roles y comportamientos de otras personas y los suyos propios en el futuro, y sentir poder al ejercer control sobre los demás.

En fin: esta gratificante labor es para ti y tu hijo una grande y maravillosa oportunidad.

Glosario

DESARROLLO: es el proceso evolutivo, de cambio a través del cual se adquieren nuevas funciones y se aumentan las facultades ya existentes. Tiene lugar de manera integral: por lo tanto, cada área es igualmente importante y requiere un funcionamiento armónico y coordinado. Estas áreas son las siguientes:

MOTOR/MOTRIZ: está relacionada con el desarrollo del conjunto de funciones que permiten los movimientos.

VISUAL: está relacionada con el desarrollo del sentido de la visión.

AUDITIVO: está relacionado con el desarrollo del sentido de la audición.

TÁCTIL: está relacionado con el desarrollo del sentido del tacto, a través del cual se percibe la aspereza o suavidad, dureza o maleabilidad, etc., de las cosas.

COGNOSCITIVA: proceso a través del cual evoluciona y se expresa el área intelectual y del conocimiento.

SOCIO-AFECTIVA: desarrollo emocional que tiene lugar en las interacciones que el niño establece con el medio que le rodea.

QUINESTÉSICA: desarrollo del conjunto de sensaciones de origen muscular que informan acerca de las posiciones y movimientos de las distintas partes del cuerpo.

LENGUAJE: desarrollo de la facultad humana de comunicarse por medio de signos verbales.

REFLEJOS: son comportamientos motores automáticos con los que nace el bebé; es como su "equipo de conductas" necesarias para la sobrevivencia, y desaparecen en el transcurso de los primeros meses. Los más importantes son:

REFLEJO DE MORO: ante un cambio repentino en la posición de la cabeza del bebé o frente a algo que lo pueda sorprender, reacciona extendiendo los brazos hacia los lados, estirando los dedos y luego recogiendo los brazos y las manos en dirección del centro de su pecho como si estuviera tratando de abrazar a alguien. La mejor manera de probar el *Reflejo de Moro* es colocar al bebé de espaldas cuando está tranquilo, y golpear simultáneamente los lados de la almohada y del colchón a ambos partes de la cabeza del bebé.

REFLEJO PLANTAR: Consiste en la retirada del pie al sentir que se le pasa un estímulo por la planta de este.

REFLEJO PUPILAR: consiste en la contracción de la pupila en respuesta al aumento de luz, y la dilatación de la misma en respuesta a su disminución.

REFLEJO DE PRENSIÓN: al colocar un dedo contra las palmas de las manos del bebé, sus dedos se doblan inmediatamente, como agarrando el dedo de la persona.

REFLEJO DE SUCCIÓN: si se le coloca al bebé un dedo cerca a su boca, inmediatamente iniciará el chupeteo.

Bibliografía

American Baby, *The first year of life*. MID, abril 1989.

Burton, L. White, *Los tres primeros años de vida*. Javier Vergara Editor. Buenos, Aires, 1990.

Carter, Margaret; Shapiro, Jean, *Libro del bebe*. Círculo de Lectores. Bogotá, 1988.

Castillón, L., *Tope, tope, tun*. Editorial Norma. Bogotá, 1987.

Eisenberg Arlen; Murkoff E., *What to expect the first year*, Workman Publishing Company. N.Y, 1989.

Gordon, Thomas, *PET Padres eficaces y técnicamente preparados*. Editorial Diana, 1977.

Lange, Adrianne, *El manual de la supermamá*. Ediciones Gamma. Bogotá.

Lira, María Isabel, *Primer año de vida. Manuales de estimulación*. Editorial Nuevo Extremo. Buenos Aires, 1989.

Ludinhgton, Hoe S., *Cómo despertar la inteligencia de los niños*. Traducción de Emesfao. Primera edición, Bogotá, 1989.

Mussen, H. P; Conger J. J; Kagan J., *Desarrollo de la personalidad del niño*. Editorial Trillas. México, 1978.

Oppeuheim F. Joanne, *Los juegos infantiles*. Círculo de Lectores. Bogotá, 1990.

Pat, Petrie, *Cómo jugar con su bebé*. Editorial Norma. Bogotá, 1989.

Spitz, Rene A, *El primer año de vida*. Fondo de cultura económica. México, 1965.

Trish, Gribbben, *Lo que su hijo realmente necesita*. Editorial Pomaire. España, 1981.

Thomas Verry; John, Kelly, *La vida secreta antes de nacer*. Printer Colombiana. Bogotá, 1986.

Viktor, Lowerfeld; W; Lambert Brittain, *Desarrollo de la capacidad creadora*. Editorial Kapeluz. Buenos Aires, 1980.